Peter Henisch

Hoffmanns Erzählungen

Aufzeichnungen eines verwirrten Germanisten

Roman

nymphenburger

Umschlaggestaltung: Christel Aumann, München
Satz: FotoSatz Pfeifer, Germering b. München
Druck und Binden: Jos. C. Huber KG.,
Dießen am Ammersee
Printed in Germany 1983
ISBN 3-485-00457-0

SEHR GEEHRTER Prof. Salaban!
Mein Name ist Kreisler. Allerdings Franz. Nicht Johannes... Nun weiß ich zwar nicht, ob Ihnen das auf Anhieb etwas sagt. Aber da es – diese Erfahrung habe ich gemacht – offenbar von Bedeutung ist, wollte ich es gleich vorausschicken... Sind Sie belesen, Professor? – Wahrscheinlich sind Sies! – Kennen Sie Hoffmann? – Wahrscheinlich kennen Sie ihn... *Etwas* von ihm – den ›Goldnen Topf?‹, den ›Sandmann?‹ – Aber Sie werden ihn schwerlich so kennen, wie ich.
Zum ersten bin (oder war ich) Germanist, und diese meine sogenannte wissenschaftliche Beschäftigung legt die Auseinandersetzung mit einem Schriftsteller näher als ihre. Obwohl, erlauben Sie diesen Tip, Ihre sogenannte wissenschaftliche Beschäftigung eine Auseinandersetzung mit dem Hoffmann, den ich kenne, während der letzten Monate kennengelernt habe, mindestens ebenso nahelegt, aber das ist ja der Grund, warum ich Ihnen schreibe. Wie gesagt bin (oder war ich) Germanist, Dozent für Neuere Deutsche Literatur, aber an meine (Ex)-kollegen kann ich mich mit den Problemen, für die ich mir bei Ihnen zumindest Verständnis erhoffe, nicht wenden. Sie, Prof. Salaban, sind, wie ich höre, nicht nur Psychiater, sondern auch Parapsychologe, beides genau, was ich brauche, wenn ich auch letzteres, ich meine die Beschäftigung mit der Parapsychologie, bis vor kurzem nicht ernst genommen hätte, aber das ist lange her.
Also wie soll ich Ihnen meine Probleme umreißen? – Einfach alles aufschreiben, habe ich gedacht, aber damit beginnen schon neue Probleme –: was heißt alles und was heißt einfach? Mir als Germanisten sollte das Schreiben,

zumindest das Aufschreiben, werden Sie jetzt vielleicht denken, leicht- oder wenigstens nicht schwerfallen. Aber Sie lesen – falls Sie noch weiter lesen wollen – hiemit die Aufzeichnungen eines *verwirrten* Germanisten.
Einfach alles aufschreiben, habe ich also gedacht, von Anfang an fortlaufend. Obwohl es mich jetzt, gleich zu Anfang, schon drängt, dieses Prinzip zu durchbrechen und vorwegzunehmen, wie *er*, von dem, vorausgesetzt, daß Sie mir für einige Zeit Ihr Ohr, oder – exakter – ihr Aug leihen, noch viel die Rede sein wird, nach meinem Vortrag hier in Berlin auf mich zutritt und –. Aber nein, die Geschichte, *meine* Geschichte mit Hoffmann beginnt schon viel früher. Vielleicht nennen Sie das Beziehungswahn, aber rückblickend scheint sie mir wirklich damit zu beginnen, daß mein Vater, Anton Kreisler, meine Mutter, Gunda, geheiratet und mich ehelich gezeugt hat, so daß auch ich Kreisler heiße, allerdings nicht Johannes, sondern, das kann ich nicht oft genug betonen, Franz, wenngleich Julia, ich meine Kitty, nicht davon abzubringen war, mich Johnny zu nennen, aber ich will wirklich nicht vorgreifen.
Auch will ich hier nicht meine Biographie schreiben, bester Professor! Vielmehr wollte ich seine, Hoffmanns Biographie schreiben – in Sachen Hoffmann war ich unterwegs. Eine Biographie zu schreiben, das bedeutet nämlich meines Erachtens nicht nur am Schreibtisch zu sitzen (sich am Schreibtisch über jemanden, der sich, weil beispielsweise 1822 gestorben, nicht mehr wehren kann, hinwegzusetzen) sondern... Sondern: ja was? – Ihm nachzugehen, nachzufahren, nachzudenken, nachzufühlen, nachzuträumen: kurz ihm (trotz der, wie ich ge-

glaubt habe, unüberbrückbaren zeitlichen Entfernung) nahe zu kommen.
Meine Kollegen von der Germanistik waren da meist anderer Meinung. »Sie müssen«, hat mir schon mein Doktorvater – seinen Namen mag ich, da er als emeritierter Professor immer noch lehrt, hier nicht nennen – gesagt, »Sie müssen zu allererst die wissenschaftliche Distanz wahren. Hüten Sie sich«, hat er gesagt, »hüten Sie sich davor, allzusehr in den Sog Ihres Objekts zu geraten. Namentlich wenn Sie (entschuldigen Sie, daß ich lache) Kreisler heißen und über Hoffmann dissertieren wollen – das ist eine kuriose Konstellation!«
Was zur Folge hatte, daß ich mich von Hoffmann, der mich seit dem Gymnasium faszinierte, aber auch irritierte (nächtelang war ich seinetwegen wachgelegen, und, wenn ich endlich eingeschlafen war, hatte ich schlecht geträumt, anderseits hatte ich nach und nach mit ihm lachen gelernt), nicht ohne eine gewisse Bereitwilligkeit abwandte. Gab mir der Ordinarius doch die Chance, von einer Art von Zwangsidee loszukommen, die mit meinem Namen zusammenhing. Meine Dissertation jedenfalls schrieb ich – mit wissenschaftlicher Distanz über einen rein physisch noch lebenden Autor. Von dem ich hier nur sagen möchte, daß er mich bis heute nichts als langweilt, und damit ist er zureichend charakterisiert.
Als ich zwanzig Jahre danach genug von der wissenschaftlichen Distanz hatte, fehlte es auch nicht an warnenden Stimmen, aber da ließ ich mir nichts mehr sagen. Mit wissenschaftlicher Distanz hatte ich den Doktortitel erworben, aufgrund meiner wissenschaftlichen Distanz war ich wissenschaftliche Hilfskraft geworden und spä-

ter ein wissenschaftlich distanzierter Assistent. Mit wissenschaftlicher Distanz hatte ich an meiner Habilitationschrift (›Über den Einfluß Wittgensteins auf die deutschsprachige Kurzprosa der frühen 60er Jahre) geschrieben und war zum Dozenten avanciert. Mit wissenschaftlicher Distanz hatte ich so manches (beileibe nicht nur mein Interesse an Hoffmann) zurückgestaut, mit wissenschaftlicher Distanz hatte ich, so sah ich das jetzt, vor allem von mir selbst distanziert gelebt.

Meine Bekannten und Freunde sprachen von einer ›plötzlichen Veränderung‹, aber das war es keineswegs. Ich trug mich im Grunde genommen seit damals, als ich mir mein Dissertationsthema hatte ausreden lassen, mit der fixen Idee, daß ich, wenn auch vorläufig ausgekniffen, über all diese Banalitäten hinaus etwas wirklich Wichtiges tun müsse, etwas das mir sozusagen bestimmt war, und diese Idee war jetzt überreif. »Bist du verrückt«, sagte Kierlinger, Kollege am Germanistischen Institut, an dem ich arbeitete, »warum willst du am Vorabend deiner Ernennung zum Außerordentlichen Professor aufgeben? Du kannst doch deine Hoffmann-Biographie auch schreiben, ohne deswegen gleich alles hinzuschmeißen, also ehrlich gestanden – ich seh dein Problem nicht!«

Er sah es tatsächlich nicht. Wie sollte er auch? Natürlich konnte oder wollte schon gar meine Frau Sophie meinen ›plötzlichen Entschluß‹, unbefristeten Urlaub nicht nur von der Universität, sondern auch von ihr zu nehmen, nicht begreifen. »Was hast du denn?« sagte sie, »ich habe gedacht, wir haben unsere Ausbruchsphase seit 1968 hinter uns! Steckt wieder eine Studentin dahinter? Sei ehrlich!« (Damit spielte sie auf den einzigen Fall an, in dem ich, nach '68, als wir – allerdings beide – in eine Wohngemeinschaft gezogen waren, meine wissenschaftliche Distanz durchbrochen hatte. Das Mädchen, dem ich auf diese Weise näher, wenn auch (leider) lang nicht so nah, wie Sophie glaubte, gekommen war, nannte sich aber inzwischen auch schon Frau Doktor. Was mich betraf, fühlte ich mich, besonders nach den Szenen, die mir Sophie in der Folge dieses Ausnahmefalls machte – germanistischer Eros ist etwas, das, fast eine contradictio in se, höchst selten auftritt – nun vorsichtshalber zu alt für sowas. »Nein«, sagte Sophie nichtsdestoweniger,« das nehme ich dir nicht ab«. Und: »Was hat denn das alles mit Hoffmann zu tun?«

Ja. Das eben konnte ich niemand erklären. Auch meiner alten Mutter nicht, auch meiner fast erwachsenen Tochter nicht, auch meinem Freund Karl nicht – oder doch: ihm noch am ehesten. »Du hast doch«, sagte er, als ich ihm erzählte, daß ich seit Jahren des Gefühl hätte, meine Phantasie sei durch diese Art Leben in jeder Hinsicht gefesselt und wahrscheinlich nicht nur meine, »du hast doch früher geschrieben, ich meine: nicht wissenschaftlich, sondern sozusagen poetisch. »Warum«, fragte Karl, der übrigens kein Poet, sondern Chemiker ist, allerdings ein in den Umweltschutz emigrierter, »warum hast du damit aufgehört?«

Auf diese Frage wollte (und will ich auch hier) nicht näher eingehen. Meinen Studenten hatte ich manchmal gesagt, daß, wer heute noch Literatur schreiben wolle, dies zumindest auf dem sprachkritischen Erkenntnisniveau von Joyce tun müsse – aber das hatte ich mir, abgesehn davon, daß mir Joyce gar nicht gefiel, eigentlich selbst nicht geglaubt. Wie dem auch sei, zu Beginn des vergangenen Wintersemesters brach ich mit einer Reisetasche voll Büchern und Papier, einer Portableschreibmaschine sowie dem Projekt, wenigstens eine Hoffmannbiographie zu schreiben, für unbestimmte Zeit auf. Den September hatte ich damit verbracht, die nötigen Visa zu besorgen, außerdem hatte ich Kontakt zu einem Münchner Verlag aufgenommen und mit einem Berliner Kollegen einen von mir an der FU zu haltenden Vortrag über Hoffmann besprochen, der (Ende November) dazu beitragen sollte, meine bis dahin wahrscheinlich stark reduzierten Finanzen zu sanieren.

Die Reise war – um es kurz zu sagen – recht strapaziös. Meine erste Station war Königsberg, wo, wie Sie vielleicht wissen, Hoffmann geboren wurde, an der polnisch-sowjetischen Grenze hatte der Zug einen nicht fahrplanmäßigen Aufenthalt von schätzungsweise vier Stunden. In Kaliningrad selbst legte eine mir obligat zur Verfügung gestellte Betreuerin Wert darauf, daß ich diverse Industrieanlagen besichtigte. Die Ostsee war von modernen Hafenanlagen verstellt, die Stadt, im Krieg bombardiert, zum Großteil neu aufgebaut, die Atmosphäre, in der Hoffmann aufgewachsen sein mußte, nur in einigen Winkeln zu finden, aus denen mich Olga (so hieß die Dame) am Ärmel fortzog. Dann fuhr ich westwärts nach Warschau, Posen und Plock. Das entsprach zwar nicht ganz der Chronologie des hoffmannschen Lebens, war aber aus Gründen der ohnehin schlechten Verbindungen naheliegend. Die Wartezeiten waren infolge der sich wieder einmal zuspitzenden politischen Konflikte enorm, die Waggons infolge der katastrophalen Versorgungslage nicht geheizt – ich bekam einen elenden Schnupfen. In der DDR herrschte zwar Ruhe und Ordnung, die Züge fuhren fahrplanmäßig und wohltemperiert, aber nachdem ich mich in Glogau und Leipzig nur mehr mit Mühe auf den Beinen gehalten hatte, mußte ich in Dresden acht Tage in einem streng wirkenden Hotel bleiben und ein asketisch hartes Bett hüten. In Bamberg dann, wo ich mich einige Tage erholte und in der pittoresken, wenn auch kulissenhaft bieder wirkenden Altstadt ganz wohl fühlte, machte ich den Fehler, Sophie anzurufen. Sie war sehr kurz angebunden, sagte, daß sie aus den Briefen, die ich ihr geschickt hätte, nicht schlau würde, und sich, vorausgesetzt, daß ich ihr nichts anderes als das bisher Gesagte zu sagen hätte, von mir trennen wolle. Im Gespräch mit dem Münchner Verleger war ich dementsprechend nicht in Form. Schön, sagte er schließlich, mich ungeduldigen Arms zur Tür komplimentierend, er könne sich zwar noch nichts Rechtes unter meiner Hoffmannbiographie vorstellen, aber wir sollten wohl in Kontakt bleiben.

In der aus all dem resultierenden Stimmung flog ich nach Berlin. Nach den vielen Eisenbahnfahrten, von denen ich nun eine Weile genug hatte, überwand ich meine sonst nicht unerhebliche Flugangst. Stieg mit nur mäßigem Herzklopfen in eine Boeing 707, obwohl das, wie Sie vermutlich wissen, statistisch nachweisbar die Maschinen sind, von denen die meisten abstürzen. Wennschon: der moderne Mensch entwickelt einen wahrscheinlich zum Überleben in dieser Welt notwendigen Fatalismus. Man setzt sich hin, schnallt sich an, frühstückt und liest die

Zeitung, als hätte man festen Boden unter dem Hintern. Was, wie anderseits jeder weiß, überhaupt nicht der Fall ist, denn unter dem Sitz, dessen Lehne man vorerst unbehaglich hochstellen soll, um sich kurze Zeit später scheinbehaglich zurückfallen zu lassen, wächst mit dem Abheben von der Startbahn das Bodenlose. Bei solchen Gedanken muß ich normalerweise eine leichte, vom Magen durch die Brust zum Hals strömende Übelkeit unterdrücken. An diesem Tag aber blieb sie beinahe aus. Der Flug allerdings war auch außergewöhnlich ruhig. Ein leises, irgendwie unwirkliches Dahingleiten durch den Nebel, aus dem nur ab und zu ein vages, fahlgelbes Licht erschien, weniger Realität als eine Ahnung. Seltsame Gedanken kamen mir: etwa der, einfach auszusteigen und mich in den Wolken zu suhlen. Die Vorstellung, wie ein verlorengegangener Astronaut aus dem Raum-Zeit Gefüge zu fallen, nein: eher zu schweben. Der Pilot flog blind, was, dachte ich, wenn nun das Radargerät ausfiele und wir an einem ganz anderen Ort als dem ursprünglich anvisierten ankämen? Und was weiter, wenn nicht nur der Ort, sondern auch die Zeit, zu der wir ankommen würden, eine ganz andere wäre? Zugegeben, ich war übernächtig, hatte bis spät (oder früh) noch an meinem Vortrag gefeilt. Aber in Hinblick auf das, war nur kurze Zeit später geschah, erscheinen mir die Ideen, die ich da hatte, die Bilder, die auf meiner inneren Filmleinwand abliefen, jetzt merkwürdig vorbedeutend...
Aber, verehrter Professor! Genug fürs Erste... Ohnehin weiß ich nicht, ob ich Ihre Geduld mit dieser Vor-Geschichte, zu der mir der Brief nun doch geraten ist, nicht schon überbeansprucht habe, und ob Sie die Geschichte,

die ich eigentlich loswerden will, überhaupt hören (resp. lesen) möchten. Wenn Sie Interesse daran haben, so antworten Sie mir bitte postlagernd (Postanschrift umseitig). Meine hiesige Adresse gebe ich Ihnen lieber nicht – ich muß (Ihr Verständnis hiefür setze ich, ebenso wie Ihre Diskretion, voraus) mit Verschiedenem fertig werden und daher bis auf weiteres (wenn nicht, aber das wage ich kaum mehr zu hoffen, eine bestimmte Person – schließlich ist das ja *ihre* Wohnung – in absehbarer Zeit zurückkehrt) alleinbleiben.
Das heißt, genaugenommen zu zweit mit dem Kater. Gerade jetzt springt er, wie es so seine Gewohnheit ist (und schon früher, viel früher, das können Sie nachlesen, seine Gewohnheit *war*) auf meinen, resp. Kittys Schreibtisch (damals wars Abrahams Schreibtisch, und Hoffmanns Schreibtisch) und bringt die Manuskripte durcheinander. *Den* haben sie mir gelassen. *Der* ist mein Erbteil... Da sitzt er, schnurrt, starrt mich mit seinen großen, gelben Mondaugen an und sagt kein Wort.

GUT, PROFESSOR, Sie wollen weiter lesen. Also schön, dann werde ich weiter *schreiben.* Mich die paar Wochen (oder sind es schon Monate?) schreibend zurückfallen lassen. An den Tag meiner Ankunft hier in Berlin. Berlin – eine kalte, graue Insel hat *er* es genannt. Und tatsächlich: genauso war es aufs erste. Jetzt steigt die Sonne zwar höher, drüben, an der Feuermauer, erscheint jeden Morgen um eine Nuance früher die Silhouette einer Frau, aber das ist der Schatten eines Baums. Ob er, E. T. A., sie wirklich gefunden hat, und ob es ihm, trotz allem, gelungen ist, ihr noch einmal (endgültig) zu suggerieren, daß – aber nein – keine Zugeständnisse ans Chaos – von nun an wird der Reihe nach erzählt.

Das Hotel, in dem man von seiten der Universität für mich gebucht hatte, war bestenfalls mittelmäßig. Das Zimmer war klein (ohne Schreibtisch), das winzige Fenster ließ nahezu nichts von dem ohnehin trüben Licht ein. Ich erwog, mich im Anschluß an meinen Vortrag darüber zu beschweren, vergaß das jedoch dann aus Gründen, die Sie bald verstehen werden. Vorläufig rief ich nur am Germanistischen Institut an, meldete, daß ich da sei und schlug eine Einladung zum Mittagessen mit der Begründung aus, daß ich noch ein paar Stunden schlafen wolle. Das gelang indes nicht, eine Kreissäge, die sich irgendwo in der Nachbarschaft drehte, drehte sich auch in meinem Kopf. Ich stand also wieder auf, nahm ein Bad und verbesserte ein Kännchen sogenannten Kaffees mit zwei kleinen Cognaks. Dann fuhr ich per S-Bahn zum Kurfürstendamm (das einzige Ziel, das mir einfiel). Es nieselte, und der Himmel aus Lichtreklamen (es war, wie gesagt, November und wurde früh dunkel) war ebenso unten, wie oben. Dann saß ich noch eine Weile in einer Snackbar, versuchte vergebens, einen Hamburger zu essen und ebenso vergebens, einen Brief an Sophie zu schreiben. Der Hamburger schmeckte mir nicht (so was hat mir noch nie geschmeckt) und der Brief an Sophie gedieh nicht über den Anfang hinaus. »Liebe Sophie, ich weiß nicht, etc.« Aber was solls? Ich schweife lieber nicht ab! Als ich an der Universität ankam, war meine Stimmung jedenfalls nach wie vor schlecht. Und wurde nicht besser: der Gebäudekomplex (modern: viel Glas und Beton) erweckte den Eindruck architektonischer Transparenz, seine Anlage war aber (ich verirrte mich prompt) aufgrund der zahlreichen, zum Verwechseln ähnlichen Treppenhäuser und Korridore, erst recht schwer durchschaubar. Der mir bekannte Kollege war, wegen dringender Geschäfte, wie es hieß, nach Frankfurt verreist, der Assistent, der mich an seiner Stelle empfing, ging mir wegen seiner durch nichts begründeten Distanzlosigkeit (›nennen Sie mich Klausjürgen!‹) auf die ohnehin etwas angegriffenen Nerven. Er brachte mir noch einen Kaffee, den ich (im Papierbecher!) fast unberührt stehn ließ, und führte mich dann (seine laute Stimme hallte auf dem Gang) zum für meinen Vortrag ausersehenen Hörsaal.

Nun ja, dieser Vortrag – ich glaube, ich habe den vollen Titel noch gar nicht genannt. ›Über die Spätromantik und ihre Beziehung zur Gegenwart unter besonderer Berücksichtigung der schizoiden Struktur bei E. T. A. Hoffmann.‹ Wahrscheinlich, verehrter Professor, ertönt jetzt in Ihrem Kopf ein Klingelzeichen. Aber ich kann Ihnen versichern, daß ich den Begriff ›schizoide Struk-

tur‹ etwas weiter gefaßt habe, als im Sinn einer (mir übrigens, darin pflichte ich Ihnen durchaus bei, gar nicht zustehenden) psychiatrischen Diagnose.
Meine Grundthese bezog sich vielmehr auf die dem sensiblen Geist (haha: Geist!) durch bestimmte, gesellschaftliche Bedingungen auferlegte, zwiespältige Existenzform. Und die Widerspiegelung dieser Existenzform im auf uns gekommenen literarischen Produkt. Ich weiß nicht, Professor, wieweit Ihre Hoffmann-Kenntnis tatsächlich reicht. Aber wissen Sie, daß das Parallelführen zweier oder mehrerer Handlungsstränge, die zeitweilige Annäherung, zeitweilige Entfernung ebenderselben für seine Texte typisch ist. Hier haben wir eine seltene Koinzidenz von Form und Inhalt. Was meist nicht zustande kommt (obwohl es im Grund darum geht), ist Identität. Man könnte sagen, Hoffmanns Figuren suchen sich selbst. Aber sie finden sich (wenn überhaupt) nur jenseits einer von den Philistern (im Zuge unserer Gespräche hat E. T. A. erwogen, diesen heute etwas antiquiert wirkenden Terminus etwa durch die Bezeichnung ›Wohlfahrts- und Konsumtrottel‹ zu ersetzen, obwohl ihm, trotz allen Ärgers, dieses Vulgärdeutsch nicht leicht von den Lippen ging), also jenseits einer von diesen, wie immer wir sie nennen mögen, ebenso gefürchteten wie (das scheint logisch) gemiedenen Grenze. Was nun die Beziehung zur Gegenwart betrifft, von der im Titel meines Vortrags die Rede war, so ging ich von einer gewissen Korrespondenz der Epochen aus. Dort die französische Revolution, die napoleonischen Kriege und die Reaktion darauf, hier unsere Zeit mit ihren (nach den Ausbruchstendenzen der sechziger- und siebziger Jahre) weitge-

hend zurückgedrängten Hoffnungen. Damit begab ich mich allerdings auf Glatteis. Denn die Studenten an der freien Universität, zum einen Teil noch fuchtelnd fixiert auf, ich erlaube mir dieses Urteil, etwas eindimensional mißverstandene, politische Argumentationsschemata, zum anderen aber bereits, schiefen Haupts, einer neuen Innerlichkeit zugeneigt, der ich auch nicht das Wort redete, zerzausten mich und einander gründlich. Die Diskussion im Anschluß an meinen von allerlei Zwischenrufen unterbrochenen Vortrag gipfelte in den Fragen, ob Hoffmann a) eskapistisch und damit tendenziell reaktionär bzw. b) aufgrund seiner sarkastischen Ironie eigentlich unsensibel und daher nicht wirklich spirituell sei. Und weiter: ob folglich die Beschäftigung mit ihm (noch dazu unter Hinweis auf geistesgeschichtliche Ähnlichkeiten zwischen einst und jetzt) von dieser oder – konträr – jener Seite gesehn, zumindest unangebracht wäre, wenn nicht gar bedenklich.
Mit einem Wort, die Diskussion (wie übrigens meiner Erfahrung nach die meisten Diskussionen) führte zu nichts. Das Auditorium, vorerst recht engagiert, verlief sich, da ich (in zunehmendem Maße erschöpft und gereizt) auf gewisse Einwände gar nicht mehr einging, folglich packte ich, bevor ich allein in dem ohnehin viel zu großen, durch flirrendes Neonlicht und eine ständig surrende Mikrophonanlage alles andere als angenehmen Hörsaal zurückblieb, mein Manuskript zusammen und strebte, mit einem lang hinuntergeschluckten, jetzt aber um so bitterer aufstoßenden Gefühl der Sinnlosigkeit und Vergeblichkeit all meines Bemühens (natürlich, jetzt fiel mir auch wieder der Streit mit Sophie aufs Gemüt)

nach dem Ausgang. Und da – ich witterte schon die ersehnte Nachtluft – da trat er mir in den Weg. »Wenn Sie«, sagte er mit einem schrägen, mir auf den ersten Blick unangenehmen Lächeln, »wenn Sie tatsächlich Authentisches über Hoffmann erfahren wollen, dann könnte ich Ihnen« – er wackelte mit dem Kopf – »wohl behilflich sein.« Ich sagte ihm, daß ich müde sei und für heute von Hoffmann genug habe, aber er ignorierte das. »Wissen Sie«, sagte er, »meine Beziehung zu Hoffmann ist ziemlich intim.« Seine Ausdrucksweise gefiel mir nicht. Er selbst, nicht nur am Kopfende, sondern auch sonst in ständig wackelnder Bewegung, gefiel mir auch nicht. »Nein, danke«, sagte ich, »ich glaube nicht, daß ich auf Ihre Informationen besonderen Wert lege« – und wollte an ihm vorbei. »Aber Verehrtester!« sagte er und berührte mich am Arm. Ich schüttelte ihn ab. »Das ist eine einmalige Gelegenheit«, sagte er. Auf der schlecht beleuchteten Straße neben mir hergehend, wirkte er wie ein Schatten. »Sie werden es nicht glauben, aber ich bin die Reinkarnation des E. T. A. Hoffmann!« »Sie sind betrunken!« sagte ich. »Vielleicht«, sagte er, »aber das spricht keineswegs dagegen.«
Professor, Sie werden mir nachfühlen können, daß ich, zumal an diesem Abend, keine Lust hatte, mir von einem Menschen, den ich für betrunken (oder verrückt) hielt, etwas über Hoffmann erzählen zu lassen. Ich hielt also Ausschau nach einem Taxi, aber die Straße war verkehrsarm und der Kerl gab nicht auf. »Hören Sie, Dr. ... Kreisler ... so heißen Sie doch... Wie ich gelesen habe, daß Sie Kreisler heißen, habe ich gedacht, Sie sind mir der Richtige... Im Ernst: was Sie da zuvor über mich gesagt

haben, war gar nicht so schlecht... Nein wirklich, gar nicht so schlecht, aber unvollständig... Ich könnte Ihr Wissen entscheidend ergänzen, glauben Sie mir... Gegen ein kleines Entgelt wär ich bereit...

Jetzt glaubte ich zu verstehen und griff nach meiner Brieftasche. Darauf jedoch reagierte er konsterniert.

»Nicht doch, Verehrtester!« sagte er. »Wollen Sie mich beleidigen? Ich habe Ihnen ein Angebot gemacht. Sie können darauf eingehen oder es ausschlagen. Ich will kein Almosen, unerachtet...«

Diese Wort »unerachtet« machte mich stutzig. Sie werden, Professor, der Feststellung zustimmen, daß es nicht dem heutigen Umgangston entspricht. Ich habe es nie zuvor jemand sagen gehört. Aber *gelesen* habe ichs oft: bei Hoffmann! – Nun wurde die Straßenbeleuchtung übrigens besser, und ich hatte Gelegenheit, meinen ungebetenen Begleiter, den ich beim Verlassen des Hörsaals nur flüchtig angesehn hatte, genauer zu betrachten. Er war klein, trug einen abgeschabten, absolut unmodischen Fischgrätenmantel und wirkte, obwohl nicht recht auszumachen war, wodurch, ein bißchen verbaut. Sein schwarzes Haar war trotz Windstille windzerblasen.

»Ich will kein Almosen«, wiederholte er, »aber wenn Sie mich auf ein Glas Wein einladen, sage ich nicht nein.«

»Na gut«, sagte ich, »ein Gläschen, aber nicht mehr.« (Das war wahrscheinlich die Chance, ihn los zu werden...) »Wissen Sie irgendein nettes Lokal in der Nähe?«

»Aber natürlich!« sagte er. »Gleich um die Ecke.«

Gleich um die Ecke war stark untertrieben oder grob unterschätzt. Aber schließlich wurde auch aus der Viertelstunde, von der ich gesprochen hatte, die halbe Nacht. Und was die andere Hälfte betrifft, so muß ich gestehen, Professor, daß die Erinnerung daran Fragment ist. Ich weiß, ehrlich gesagt, nicht einmal, wie dieses Mädchen an unseren Tisch kam (von einem gewissen Zeitpunkt an, kommt mir jetzt vor, war sie ganz einfach da). – Aber der Reihe nach! Das Lokal, in das ich mich schleppen ließ, hieß ›Zwiebelfisch‹ und machte den Eindruck einer Studenten- oder Künstlerkneipe. Es war von Menschen, Rauch und Musik überfüllt. Obwohl der andere dem Alter nach (wie alt war er eigentlich?) nicht recht hierher paßte, schien man ihn gut zu kennen. »Hallo, E. T. A.!« Man nickte ihm zu oder schlug ihn auf die Schulter. – E. T. A.? War sein Hoffmann-Komplex hier bekannt? War das eine fixe Idee oder ein running gag, vielleicht aufgrund einer zufälligen Namensgleichheit? Jedenfalls spielte er, als wir uns, wenn auch mühselig, einen Platz gefunden hatten, seine Rolle weiter. »Hier ists nicht besonders. Bei ›Lutter und Wegner‹ wars schöner!« – Nun müssen Sie wissen, daß ›Lutter und Wegner‹ sein Stammlokal war. (Das von Hoffmann – dem originalen Hoffmann). Dort pflegte er mit seinen Freunden zu sitzen und nächtelang zu zechen. Während er untertags das Leben eines Kammergerichtsrates führte, zumindest in seinen letzten, schizoiden Jahren. Für mein Gegenüber allerdings konnte ich mir eine derart seriöse Tagexistenz nicht vorstellen. Er machte viel eher den Eindruck eines Penners, wenngleich eines seltsam kultivierten. »Der Wein ist auch nicht besonders«, sagte er, die Blume schmekkend. »Und die Musik – naja, mein Mozart wär mir lieber. Anderseits muß man zugeben, daß mit dem Beat et-

was an die Oberfläche gedrungen ist, das vorher im Untergrund war. Eine Umkehrung der Funktionen von Rhythmus und Melodie – das hat was zu bedeuten.«
»Sind Sie Musiker?« fragte ich. – »Das wissen Sie doch. Mehr Musiker als Autor. Meine Oper Undine war damals sehr erfolgreich!«
Ich wurde nicht schlau aus ihm. Glaubte er wirklich, was er da sagte, oder machte er sich über mich lustig? Jedenfalls war er erstaunlich gut informiert. Vielleicht ein verkrachter Kollege, ja, warum nicht? Aber was wollte er von mir? Worauf zielte das hinaus?
»Also was soll das mit Hoffmann?« fragte ich endlich.
»Was heißt da, was soll das?« – Er stellte sein Weinglas mit Nachdruck auf den Tisch. – »Was soll das mit Hoffmann! Ich bins! Genauer: ich wars! Ernst Theodor Amadeus Hoffmann, geboren am 24.1.1776 zu Königsberg in Preußen, gestorben am 25.6.1822 hier in Berlin!«
Ich lachte noch immer. »Aber demnach wären Sie seit 160 Jahren tot!«
»Ach was, tot!« sagte er. »Die Toten sitzen nur im Wartesaal. Ich bin wiedergeboren!«
»Und woher wissen Sie das?«
Er sagte: »Ich *weiß* es!«
»Und wie heißen Sie *jetzt?*«
»Das tut nichts zur Sache.«
Ich bestellte ihm und mir je ein zweites Glas Wein. Mir war, ich bekenne es, ein bißchen unheimlich geworden und ich versuchte, dieses Gefühl, was allerdings leichtsinnig war, mit Alkohol zu betäuben. Denn wie schon erwähnt: ich hatte die übliche Übelkeit beim Flug unterdrückt. Jetzt kam sie zum Ausbruch – ich hatte kaum was

gegessen und viel zu viel getrunken. Ich wankte auf die Toilette und versuchte vergebens, zu erbrechen. Als ich zurückkam, hatte Hoffmann (ich will ihn, der Einfachheit halber, vorerst so nennen) schon wieder nachbestellt. »Also wollen Sie nun hören, was Hoffmann wirklich sagte, oder nicht?« Ich wußte nicht, was ich wollte. Ich sah ihn doppelt.
»Jaja, mein Bester!« sagte er, als hätte er das erraten, »Manchmal erscheint uns die liebe Wirklichkeit mehrfach. Und glauben Sie mir, sie scheint nicht nur so, sie *ist* es! Im Wein liegt Wahrheit. Tatsächlich. Da bin ich Experte. Schaun Sie sich um. Die Gesichter. Hinter jedem ist ein anderes! Mindestens eins. Drunter Tiergesichter. Und Pflanzengesichter. Der dort ist seinem früheren Wesen nach ein Salamander und der eine Distel. Natürlich gibt es tief drinnen auch Mineraliengesichter – aber um so weit in die Vergangenheit zu sehen, braucht man schon einen sehr geübten Blick!«
Sie können sich vorstellen, Professor, daß mich diese Reden nicht beruhigten. Ich hatte das dringende Bedürfnis, aufzuspringen und davonzulaufen, aber ich schaffte es nicht mehr. Und dann, wie gesagt, war auf einmal das Mädchen da – »Ein verirrter Nachtschmetterling!« stellte sie Hoffmann vor. »High«, sagte sie, »wie gehts?«
Darauf gab ich lieber erst gar keine Antwort (ich konnte auch kaum). »Nun, Kreisler – erkennen Sie sie nicht wieder?« fragte mich Hoffmann. »Es stimmt schon, sie hat damals anders ausgesehn. Aber die Augen sind ganz die selben geblieben...«
Also schön, ich gebe es zu, ich fühlte mich (nicht nur aufgrund dieser dunklen Worte) zu ihr hingezogen. Aber

trotzdem weiß ich beim besten Willen nicht mehr, wie ich in ihr Bett kam. Das ist nicht meine Art, verstehen Sie, nichtsdestoweniger wachte ich dort auf! Sie küßte mich auf die Stirn, sagte: »Ich muß jetzt gehn, Liebling!« und überließ mich meiner Verwirrung.

NEIN, DOKTOR, das ist nicht so simpel – ich verlängerte meinen Berlinaufenthalt nicht einfach wegen dieses Mädchens. Oder exakter: nicht direkt wegen ihr. Diesem Mißverständnis ist Hoffmann (ich bleibe dabei, ihn gewissermaßen arbeitshypothetisch, so zu nennen) vorerst auch aufgesessen. »Jaja«, sagte er, »als ich mich damals in die kleine Julia Marc verliebte, war ich auch zu jeder Torheit fähig!« – (Schon gut, ich will nicht so ohne weiteres voraussetzen, daß Sie wissen, wer Julia Marc war. Aber da ich im Verlauf dieses Berichts ohnehin noch oft auf sie zu sprechen kommen werde, muß ich mich jetzt nicht über sie verbreiten). Ich protestierte: »Ich bin überhaupt nicht verliebt!« Das war im ›Zwiebelfisch‹. Am folgenden Abend... Ich war hingegangen, um *sie* zu suchen. Und hatte prompt *ihn* getroffen, E. T. A. Stammgast. – »Hallo«, sagte er. »Sie haben sichs doch überlegt? Legen Sie also doch noch Wert auf meinen Beitrag zur Hoffmann-Forschung?« – Ich war einigermaßen erregt und keineswegs in der Stimmung, lang um den heißen Brei zu reden. Fragte ihn, ob er sie gesehn hätte. – »Wen?« – »Na, die von gestern!« – Er lachte: »Aha, es hat Sie also erwischt. Laß dich umarmen Freund und Zwillingsbruder! Hat sie dirs auch erschlossen, das Reich der Harmonie?« – Ich wich ein wenig zurück. Sein Atem roch sauer. – »Hören Sie!« sagte ich, »mir ist nicht nach Poesie zumute. Aber ich muß diese junge Dame wiederfinden!«

Doch ich merke schon,, Professor, ich kann gewisse Dinge, auch wenn sie mir peinlich sind, nicht aus meiner Erzählung aussparen. Ja, wirklich, daß ich die Nacht (oder genauer den Morgen) auf welche Weise immer mit einer Person verbracht hatte, von der ich nicht einmal den Namen wußte, war mir nachgerade peinlich. Ich meine: ich bin nicht prüde, verstehn Sie mich richtig. Aber überhaupt nicht zu wissen, was (und vor allem *ob* etwas) vorgefallen ist...

Also zurück zum Morgen (es war schon fast Mittag). Wie schon erwähnt, sie küßte mich auf die Stirn und verschwand. Entschwebte (sie hatte so etwas körperlos Leichtes). Anderseits war das Leintuch neben mir noch warm von ihrem Körper. Sie war weg, bevor ich noch ganz bei mir war. Eine Zeitlang blieb ich liegen und starrte auf meine Zehen, die am anderen Ende der mit exotischen Vögeln verzierten Decke hervorlugten. Das Zimmer, in dem ich geschlafen hatte, war blau tapeziert und duftete nach Räucherstäbchen. Dem Bett gegenüber stand, weiß der Teufel wozu, eine ebenfalls blaue, etwa anderthalb Meter hohe Papp-Pyramide. Auf einem Fell vor dem Bett fand ich meine Unterhose, auf einem Schaukelstuhl einen meiner Socken. Hinter den schweren (dunkelblauen) Samtvorhängen gab es hohe Jugendstilfenster. Draußen war keine Straße, sondern ein Hof, begrenzt durch eine Feuermauer. Im Bücherregal, das ich routinemäßig musterte – sage mir, was du liest und ich sage dir, wer du bist – Hesse, Castaneda und Bettina von Armin (Goethes Briefwechsel mit einem Kinde). Im nächsten Raum stand ein schwarzes Klavier (Marke Bechstein), das mir sofort unsympathisch war und auf das ich (wenn auch ungern) später noch zurückkomme. Daneben lehnte ein ebenso schwarzes Cello. Der Boden war übersät mit Noten und Platten (ich erinnere mich an Christoph Willibald Gluck und Jimmy Hendrix). Dazwischen fand ich Socken Numero zwei und mein

Unterleibchen. Im Badezimmer duschte ich nicht (über der Wanne tropften einige Nylonstrumpfhosen). Ich wusch mich nur flüchtig und putzte mir mit den Fingern die Zähne. Mein Visavis im Spiegel war schrecklich unrasiert und hatte Ringe unter den Augen. Im Kamm wehten einige feine, rotblonde Haare.
In der Küche endlich fand ich einen gedeckten Frühstückstisch und einen Zettel. – Lieber Johnny! Der Kaffee ist in der Thermoskanne, weitere Zubisse findest Du möglicherweise im Kühlschrank. Auf dem Herd steht ein Topf mit Curryhuhn. Wärm Dirs, falls Du mittagessen willst; auch sonst kannst Du Dich wie zu Hause fühlen; ich komme um sechs. Während ich noch überlegte (seit wann hieß ich Johnny…?), erschreckte mich ein Geräusch. Es klang, als ob ein Gegenstand zu Boden gefallen wäre, und kam offenbar aus dem Musikzimmer. Mit bis in den Hals klopfendem Herzen spähte ich durch die Tür, da war niemand zu sehn. Und dann trat ich, wahrscheinlich, um dem leisen Grausen, das mich ankam, durch etwas möglichst Harmloses entgegenzuwirken, ans Klavier, öffnete den Deckel, und klimperte (das ist alles, was ich kann) ein paar Takte ›Hänschen klein.‹ Soweit, so erfolgreich. Tatsächlich beruhigte ich mich. Aber als ich zehn Minuten später, nachdem ich, in die Küche zurückgekehrt, einen Schluck Kaffee getrunken und einen Antwortbrief entworfen hatte (– Liebe Unbekannte! Leider kann ich Ihre freundliche Einladung, auf Sie zu warten, nicht annehmen, da ich für heute 17 Uhr meinen Rückflug gebucht habe; danke für alles, was immer –), den Anfang derselben Melodie aus dem Zimmer hörte und, dorthingeeilt, wieder niemand fand, kam das

Grausen stärker wieder. »He!« sagte ich. »Ist da jemand? Ja oder nein?« – Keine Antwort. – Beim Schließen des Klavierdeckels zwickte ich mir noch die Finger ein.
Ich muß zugeben, daß ich mehr als nervös war. Hoffmann, dem ich diese mir unerklärliche Geschichte später erzählte, meinte, daß mich vermutlich die Nymphe Echo genarrt hätte. Ich für meinen Teil hatte, unmittelbar in dieser Situation steckend, nicht seine ironische Distanz. Ich raffte den Rest meines Anzugs zusammen und ergriff die Flucht.
Als die Wohnungstür hinter mir zufiel, atmete ich auf. Doch nun beging ich, in der Ihnen vielleicht begreiflichen Eile, wegzukommen, einen folgenschweren Fehler. Ich verabsäumte es, einen Blick aufs Türschild zu werfen. (Allerdings gab es auch gar keins, aber das registrierte ich erst später.) Ich lief die Treppe hinunter, war froh, niemandem zu begegnen, und stoppte ein Taxi. Der Gegend schenkte ich leider zu wenig Beachtung. Hochhäuser, Althäuser, Bauplätze, Schrebergärten. Daß mein Paß nicht mehr in der Brusttasche meines Sakkos steckte, bemerkte ich erst im Hotel. Was soll ich Ihnen sagen – den ganzen Nachmittag verbrachte ich damit, mit einem anderen Taxi, das mich entsprechend viel Geld kostete, den Berliner Stadtrand abzuklappern. Aber vergebens, obwohl ich alle Straßennamen sorgfältig las, erkannte ich keinen wieder. Auf mich wirkten die Örtlichkeiten alle sowohl ähnlich, als auch unähnlich. Und den Gefallen, mir einfach über den Weg zu flattern, tat mir der Schmetterling nicht.
Nur deshalb versuchte ichs abends im ›Zwiebelfisch‹. Der Not und keinem wie immer gearteten Trieb gehor-

chend, obwohl – aber nein! »Ich bin nicht verliebt, verdammt nocheinmal!« fuhr ich Hoffmann, der noch immer romantisch daherredete, am Revers packend, an, »aber sagen Sie mir jetzt sofort, wo sie wohnt.« »Aber mein Bester!« sagte er, »alles was recht ist! Verlieren Sie doch, ich bitte Sie, nicht gleich die Contenance!«

Ich versuchte, die Fassung wiederzufinden.

»Entschuldigen Sie«, sagte ich, »wenn ich mich einen Augenblick lang vergessen habe. Aber ich habe einen Grund...«

»Jaja«, sagte er.

»Neinnein«, sagte ich. »Sie mißverstehen mich völlig.«

»Neinnein«, sagte er.

»Dochdoch«, sagte ich. »Es ist ganz anders, als sie glauben.«

Er lächelte vieldeutig. »Vielleicht ist es ganz anders, als *Sie* glauben?!«

»Jaja«, sagte ich. Ich hatte keine Lust, mich mit ihm auf einen erkenntnistheoretischen Disput einzulassen. Aber noch weniger Lust hatte ich, ihm zu erzählen, was geschehen war. Abgesehn davon, daß ich es selbst nicht genau wußte.

»Hören Sie«, sagte ich, »aus Gründen, die ich Ihnen nicht näher erklären kann, brauche ich Namen und Adresse dieses Mädchens.«

»Ich hab schon verstanden«, sagte er, »aber aus Gründen, die *ich* Ihnen nicht näher erklären kann, *darf* ich sie Ihnen nicht geben.«

Das erschien mir vorerst als reine Bosheit. Doch ich beherrschte mich. Wahrscheinlich hatte ers doch aufs Geld abgesehn. Das hatte ich mir ja gleich gedacht.

»Also wieviel?« fragte ich und legte versuchsweise einen Fünfzigmarkschein auf den Tisch. Er beachtete ihn nicht. Ich legte einen zweiten dazu. Er schüttelte den Kopf.
»Mein lieber Kreisler, Sie mißverstehen mich gründlich! Hätte ich nicht ein zutiefst persönliches Interesse an Ihrer Freundschaft, so würde ich Ihnen die meine jetzt glatt vorweg kündigen.«
Dieser Satz, keinesfalls im Tonfall der Trunkenheit gesprochen, auf die ich seine etwas anachronistische Redeweise immer noch zurückzuführen neigte, berührte mich seltsam.
»Und welches zutiefst persönliche Interesse haben Sie an meiner Freundschaft?«
»Also jetzt passen Sie auf. Es gibt verschiedene Mißverständnisse. Ich meine, gewisse Mißverständnisse meine von der Germanistik überlieferte Biographie, sowie Motivation und Interpretation meines Werks betreffend. Die möchte ich mit Ihrer Hilfe ausräumen.«
Oh Gott! Jetzt kam er mir wieder *da*mit daher! – Na klar: er war nicht betrunken, er war einfach irr! Ein Schizophrener, der sich für Hoffmann hielt. Anderseits hatte sein Wahnsinn tatsächlich Methode. Dachte ich damals. Inzwischen... Wie ist das, Professor? Gibt es eigentlich eine Theorie, die annimmt, daß Schizophrenie eine ansteckende Krankheit ist? ... Aber nein. Ich bin nicht verrückt. *Ich* nicht. Ich habe, was ich erzähle, tatsächlich erlebt...!
Nicht, daß Sie denken, ich flunkere Ihnen was vor... Also so wahr ich hier sitze, hier sitze und schreibe...
Ihre Zeilen sind höflich, ihre Zeilen sind freundlich, aber

was steht zwischen Ihren Zeilen? ... Professor, ich ahne schon, Sie glauben mir nicht!
Kann ich ja verstehen. Auch ich habe Hoffmann nicht geglaubt. Bin auf ihn eingegangen, wie jetzt Sie auf mich eingehn, aber nach und nach... Im übrigen hatte ich, um es in seiner Diktion auszudrücken, ein zutiefst persönliches Interesse... Ich brauchte meinen Paß. Den Nachweis meiner Identität. Den Zusammenhang finden Sie sicher bezeichnend.
Also wie dem auch sei – ich ging auf ihn ein. Hoffmann oder Pseudohoffmann. Schizophren oder nicht. Er kannte das Mädchen, das ich brauchte. Eine Zeitlang hoffte ich noch, sie würde, wie am Vortag, plötzlich auftauchen und meinen Paß, den sie doch bestimmt gefunden hatte (denn wo, wenn nicht in ihrer Wohnung, sollte er geblieben sein?) womöglich mitbringen. Aber je weiter der Abend fortschritt, desto geringer wurde die Chance.
Schließlich nahte die Sperrstunde, das Lokal leerte sich nach und nach, außer uns blieben nur noch ein paar Unentwegte.
»Nun«, sagte ich müde, »können Sie mir wirklich nicht sagen, wie sie heißt und wo sie wohnt?«
»Nein«, sagte Hoffmann, »nein, mein Freund, tut mir leid. Aber wenn Sie mehr erfahren wollen, kommen Sie morgen zum Thee zu mir. *Meine* Adresse kann ich Ihnen geben.«

AM FOLGENDEN Vormittag ging ich aufs Generalkonsulat. Aber ganz unabhängig davon, ob die Mühlen der Bürokratie fein mahlen, mahlen sie langsam. Erst ließ man mich anderthalb Stunden warten, dann eine Verlustanzeige ausfüllen. Endlich lud mich ein amtlich-freundlicher Herr mit jovialer Handbewegung ein, an der anderen Seite des papierüberhäuften Schreibtisches Platz zu nehmen, der mich, wie ein immenser Bauchladen, auf Distanz hielt. Auf meine akademische Würde hingewiesen, bot er mir, gleichsam um klar zu machen, daß er nicht daran zweifle, eine Zigarre an. Nichtsdestoweniger ginge es darum, meine Daten, die er notierte, zu verifizieren. Was, trotz selbstverständlich bevorzugter Behandlung meines Falls, ein paar Formalitäten beanspruche. Und da nun beinah schon Freitag mittag sei, könne er, so leid es ihm tue, die Chose erst Anfang der kommenden Woche voll in Angriff nehmen.

Er bot mir noch, für den Fall, daß ich Geld brauche, zweihundert Mark an, die lehnte ich ab. Fatalistisch gestimmt verließ ich das Amtshaus. Was half es schon, Energien darauf zu verschwenden, mir selbst zu beteuern, daß ich an sowas wie Schicksal nicht glaubte? Zumindest das Wochenende würde ich hierbleiben müssen. – Sehn Sie, Professor, so ließ mein Widerstand nach. Ich hatte mich gegen diesen Psychopathen gewehrt, ich hatte mich gegen diese Stadt gewehrt, beides vergebens. Ich? Das war komisch – ohne den Nachweis meiner Identität in der Tasche hatte ich tatsächlich das Gefühl einer gewissen Depersonalisation. Mir fiel ein, daß mich das Mädchen, dessen Namen ich noch immer nicht wußte, auf jenem ominösen, in der Küche hinterlassenen Zettel, John-

ny genannt hatte – augenblicklich konnte ich nicht einmal beweisen, daß ich nicht Johnny hieß.
Bei diesem Gedanken und einem Matjeshering, den ich in der Nähe der Gedächtniskirche verspeiste, mußte ich (zugegeben etwas hysterisch) lachen. Der Kellner, der offenbar der Ansicht war, daß einem bei Matjeshering eher säuerlich zumute sein müsse, warf mir einen argwöhnischen Blick zu und brachte unaufgefordert die Rechnung. Auch gut. Ich zahlte und suchte das nächste Postamt. »Höhere Gewalt«, telegraphierte ich an Sophie, »hält mich länger als geplant in Berlin fest. Detaillierteres per Brief.»
Schließlich nahm ich ein Taxi und nannte den Namen der Straße, die Hoffmann mir notiert hatte. Ich hatte nichts Besseres zu tun – warum sollte ich seine Einladung zum Tee nicht doch annehmen? Zwar war er wahrscheinlich verrückt, aber immerhin war Hoffmann ein mich interessierendes Gesprächsthema. Und überdies: wenn ich auch meinen Paß nun auf amtlichem Wege ersetzt bekam – die Ungeklärtheit des nächtlichen Abenteuers mit jener Unbekannten wurmte mich nach wie vor.
Über solchen Spekulationen mutete mich die Gegend, durch die wir fuhren (Abbruchhäuser und Neubauten: eine Gegend des Kontrasts) einen Moment lang bekannt an. Mein Pulsschlag beschleunigte sich, ich ersuchte den Fahrer, kurz umzudrehen und eine Strecke zurück zu fahren. Aber da wirkte alles ganz anders, als vorher. Die Stelle, die ich geglaubt hatte, wieder erkannt zu haben, schien mir jetzt fremd.
Dann war die Straße, in die ich gewollt hatte, aus. – »Was haben Sie gesagt?« fragte der Fahrer, »Nummer 77? Tut

mir leid, die gibts nicht!« – »Wieso?« – »Das kann *ich* doch nicht wissen!« brummte der Mann. »Sehen Sie selbst: die letzte Nummer auf dieser Seite ist 75!«
Tatsächlich. Ich zahlte, stieg aus und stand ratlos da. Nummer 75 war ein ebenerdiges, sichtlich seit langem leerstehendes Fabriksgebäude, Nummer 76 eine kleine Gastwirtschaft mit wahrscheinlich seit ebenso langer Zeit heruntergelassenen Rolläden. Graurote Ziegelmauern, abgeblätterter Verputz, Rost und eingeschlagene Fenster. Verblaßte Parolen – anscheinend hatte auch die Instandbesetzung nicht mehr recht gelohnt... Schon wollte ich umkehren, aber da sah ich eine Frau. Sie kam aus einer Art Hohlweg zwischen zwei von geteerten Bretterverschlägen umzäunten Lagerplätzen. Als sie mich bemerkte, stutzte sie und wollte offenbar zurück. Unter dem Kopftuch war ihr Gesicht halb verborgen – wahrscheinlich eine Türkin.
»Entschuldigen Sie, wo ist denn die Nummer 77?«
Ich rief, sie blieb stehen, aber wehrte mit beiden Händen ab.
»Gibts hier kein Haus mit der Nummer 77?«
Sie gab keine Antwort, sondern huschte davon.
Und dann, am anderen Ende des Hohlwegs: das Haus. Auf einem unerwartet freien, mit bräunlichem Gras bewachsenen Platz. Leere, im Wind zitternde Wäscheleinen, eine Riege von Abfalleimern, eine hölzerne Klopfstange. Ein blaues Fahrrad sehr alten Modells, ein verlassener Tabakkiosk, eine gläserne Telefonzelle. – Und eben das Haus. Es stand genau in der Mitte. Es wirkte, wie alles andere hier, nicht ganz wirklich. Oder sollte ich schreiben: überwirklich? Jedenfalls weiß ich eigentlich

nicht, wodurch. – Ja, es war alt, aber gar nicht besonders alt. Gründerstil, würde ich sagen. Drei Stockwerke hoch. Ein Haus, wie zahlreiche andere, ganz gewöhnlich. Vielleicht lag der seltsame Eindruck, den es auf mich machte, auch nur an seiner Isoliertheit. – Wie dem auch sei, das Haus war mir nicht ganz geheuer. Ich mußte mich überwinden, es zu betreten. Der Flur roch nach Keller, ein vergilbter, zerrissener Zettel warnte vor Rattengift. Aufs Geländer der abgetretenen Treppe verließ ich mich nicht.

So langte ich, vorsichtig, zögernd, im zweiten Stock an. Und fand (es war dunkel) mühsam die Tür, die ich suchte. Auf dem Türschild entzifferte ich den Namen Kowalsky. Na bitte. Es war ja zu erwarten gewesen, daß mein Hoffmann nicht Hoffmann hieß. Ein schmiedeeisern vergittertes Fenster zum Gang. Hinter geriffeltem Glas ein schwächliches Licht. Ich hielt ein paar Augenblicke den Atem an. Wozu war ich hergekommen? Was wollte ich hier?

Noch konnte ich umdrehen und die ganze skurrile Geschichte vergessen. Warum sollte ich diese Wohnung betreten und mich weiteren, wahrscheinlich noch unsinnigeren Anbiederungen eines armen Spinners aussetzen? Aber zu spät – gerade, als ich davonschleichen wollte, was infolge der lockeren, zum Teil zerbrochenen Bodenfliesen nicht leicht war, ging die Tür auf. »Gott zum Gruß!« sagte Hoffmann-Kowalsky. »Sie sind ja pünktlich!«

Er sagte: »Treten Sie näher!«
Jetzt hatte ichs.

Sah mich in die kleine, dunkle Küche genötigt, die zugleich als Vorraum diente. In einem Regal an der Wand verstaubtes Geschirr. Auf dem krummbeinigen Herd eine ehemals blaue, abgeschlagene Teekanne.
Das Zimmer danach war allerdings groß und geräumig. Ich erinnere mich, daß ich mich im ersten Augenblick fragte, wie es überhaupt in diesem Haus Platz fand. Nach meinem Gefühl hätte es schon ungefähr dort enden müssen, wo (in der Mitte) der große, runde Tisch stand. Alles weitere war wie ein Überhang.
»Nehmen Sie«, sagte mein seltsamer Gastgeber, »Platz. Der Thee ist gleich fertig. Nur ein bißchen ziehen muß er noch. Mögen Sie ihn lieber hell oder dunkel?«
Während er, wie ich annahm, in der Küche hantierte, hatte ich Gelegenheit, das Zimmer näher zu betrachten. Mit seinen schweren Draperien und Quasten, den Gipsmasken, die allenthalben herumhingen und der Chaiselongue, auf der ich saß, kam es mir vor, wie das Zimmer einer schrulligen alten Dame.
Und doch war da noch etwas anderes in diesem Raum. Es lag in der Luft, nicht mit den üblichen Sinnen wahrnehmbar, aber zu ahnen, wie ein Ton jenseits der menschlichen Hörgrenze. Um mich davon abzulenken, trat ich, was mir übrigens auch sonst nahegelegen wäre, an den Bücherschrank. Und da entdeckte ich (kaum kann ich sagen, zu meiner Überraschung) die kritisch historische Gesamtausgabe. Sie war zwölfbändig, ledern und goldgeprägt. Behutsam, fast ehrfürchtig, nahm ich einen der handlichen Bände (Phantasiestücke in Callots Manier) heraus und suchte (vergebens) nach der Angabe des Erscheinungsjahrs, aber da spürte ich hinter mir eine Bewe-

gung. Ich drehte mich um und sah – ein Gespenst. Hoffmann. Das heißt Kowalsky. Als Hoffmann verkleidet. Er trug einen nachtblauen Schlafrock aus Nankingseide. Dazu ein Hinterhauptskäppchen aus weinrotem Samt. Und sein Gesicht – ich weiß nicht, wie er das schaffte! Es sah nun tatsächlich beinah wie das Hoffmanns aus. Er stellte ein schön geschnitztes Tablett auf den Tisch. »Bittesehr«, sagte er, »bedienen Sie sich. Der Thee ist aus China. Eine seltene Sorte. Den muß man genießen. Wollen Sie Kuchen dazu?«
Ich schüttelte, unfähig etwas zu sagen, den Kopf. Dann saßen wir eine Weile, Tee trinkend, schweigend. Daß er schließlich nach einer langen, türkischen Pfeife griff, die ich zuvor nicht bemerkt hatte, wunderte mich nicht mehr.
»Stört es Sie, wenn ich rauche?«
»Nein.«
»Dann kommen wir zur Sache.«
»Zu welcher Sache?«
Er zog eine Braue hoch.
»Das wissen Sie doch. Zu Hoffmanns Biographie. Das heißt, lieber Kreisler, zu *meiner* Biographie. Die wollten Sie doch schreiben. Also. Ich stehe zur Verfügung!«
Er blies mir Rauchkringel ins Gesicht. Und zwar mit System.
Ich rückte beiseite. Versuchte auszuweichen.
»Hören Sie«, sagte ich. »Das kann doch alles nicht ihr Ernst sein!«
»Was?«
»Na diese ganze Maskerade hier. Und daß Sie glauben, daß ich glaube…«

»Was? Daß ich Hoffmann bin?«
»Ja.«
»Und doch ist es die Wahrheit!–
Ich bin genauso unzweifelhaft Hoffmann, wie Sie Kreisler sind, mein Bester!«
Ich hustete. »Aber ich bin doch nicht Kreisler! Ich meine nicht *der* ...!«
»Nicht *mein* Kreisler? Und ob Sie mein Kreisler sind. Sie wissen es nur noch nicht.«
Dieser Besitzanspruch war mir nun wirklich zu viel.
»Also wissen Sie«, sagte ich, »Ihr Benehmen finde ich, höflich gesagt, höchst eigenartig. Ganz unabhängig von den Inhalten, die Sie mir völlig absurderweise aufzuschwatzen versuchen, stört mich, offen gestanden, die Form. Danke für die Einladung, ihr Tee war nicht schlecht, aber ich werde jetzt gehn.«
Aus dem Bereich der Rauchkringel entkommen stand ich rasch auf.
Da legte Kowalsky lächelnd die Pfeife weg.
»Nicht doch, Kreisler, tun Sie mir das nicht an! Ich habe noch eine Flasche Wein eingekühlt, außerdem ... also wirklich, unser Kontakt ist keineswegs nur in meinem Interesse... Denken Sie doch an die Wissenschaft, der Sie dienen... Also ich sage Ihnen, wenn die Methode, die ich Ihnen erschließen will, Schule macht, das wird eine Revolution der Germanistik... Außerdem, hören Sie... (Ja, ich hörte ein Kratzen) ... da will noch wer anderer ihre Bekanntschaft machen!«
Mit diesen Worten stand er auf und öffnete eine Tapetentür, die ich zuvor nicht bemerkt hatte. Das gab einen Luftzug, aber noch bevor ich mir überlegen oder gar fra-

gen konnte, woher der kam, lenkte Kowalsky mein Interesse auf den Kater. »Darf ich vorstellen?« sagte er, »Murr, Dr. Kreisler. Sie haben schon, nehme ich an, voneinander gehört.« Was soll ich sagen, Professor, das stimmte mich um. Ich muß hinzufügen, daß ich Katzen mag. Der Kater, als hätte er seinen Herrn wirklich verstanden, stakte groß, rot und schön, wie er war, auf mich zu. Als ich ihn allerdings streicheln wollte, prallte er, etwas empört über diese verfrühte Vertraulichkeit, zurück und fauchte.

Ich fragte Kowalsky, wann er zum ersten Mal auf den Gedanken gekommen sei, der reinkarnierte Hoffmann zu sein.

Die Frage ließ ihn nicht ruhig sitzen, trieb ihn im Zimmer hin und her.

»Wenn Sie es unbedingt wissen wollen«, sagte er endlich, »das war vor ungefähr zehn Jahren. Aber inzwischen sind mir die Erinnerungen an die Zeit vor hundertachtzig Jahren viel präsenter.«

»Trotzdem«, sagte ich, »interessiert mich das auch. Was haben Sie damals, vor zehn Jahren gemacht, wovon haben Sie gelebt?«

»Ach«, wich er aus, »gemacht habe ich alles mögliche und gelebt habe ich von Verschiedenem.«

»Was und wovon zum Beispiel?«

Er schüttelte den Kopf.

»Auf Ihrem Türschild«, sagte ich forsch, »steht Kowalsky!«

»Ja«, sagte er aus dem Fenster blickend, »tatsächlich. Aber dieser Kowalsky, verstehn Sie, ist tot. Oder so gut

wie tot. Verstehn Sie mich richtig!«
Ich sagte, ich wüßte nicht, ob ich ihn richtig verstehe.
»Ganz einfach«, sagte er, »dieser Kowalsky war ich. Das heißt, ich *lebte* unter dem Namen Kowalsky. Damals. Vormals. Bevor ich wiedererwacht bin.«
»Und dieser Tote... wer oder was war *der*?
»Schauspieler«, sagte er –, »ist er zuletzt gewesen. Leszek Kowalsky!« (Er spuckte den Namen aus). »Als Kowalsky war ich Komödiant.«
Ich dachte: Aha! – Er wandte sich wieder mir zu.
»Kowalsky«, sagte er, »Leszek – komisch, nicht? – Geboren am 24.10.1938 zu Stettin, heute Szczecin... Dann längere Zeit wohnhaft in Karl-Marx-Stadt, früher Chemnitz, Deutsche Demokratische Republik... Student und Deutschlehrer, durch die Papierkrise verhinderter Schriftsteller, Arbeiter in einer Chemiefabrik... Und dann, seit 1967, Verbraucher der berühmten Berliner Luft... (Hier platzte er heraus, übertrieben erheitert von seinem eigenen Witz)... Der westlichen wohlgemerkt, der von vielen für besser gehaltenen – aber, Verehrtester, ist die wirklich besser? – Dem Leszek Kowalsky hat sie sich auf die Brust geschlagen... Drüben in Chemnitz hat er Saxophon geblasen, aber das war ein dekadentes Instrument... Hier war dann nicht mehr das Instrument dekadent, sondern ein Lungenflügel... Hören Sie auf, hat der Doktor gesagt, oder Sie richten sich zugrund! ... Hat Kowalsky also aufgehört, ein dekadentes Instrument zu spielen... Und hat halt statt dessen dekadentes Theater gespielt... Beckett zum Beispiel, den Estragon – kennen Sie doch... Sollen wir uns aufhängen oder sollen wir uns nicht aufhängen, das ist die Frage!

Oder nein«, sagte er sich unvermittelt wieder zu mir an den Tisch setzend, mir überflüssig nahe rückend. »Ich will Sie nicht anlügen, Kreisler – den Estragon hat man mich gar nicht spielen lassen... Weiß der Kuckuck warum, vielleicht war ich nicht gut genug... Na, jedenfalls war ich damals in einer Krise... Nicht nur beruflich, verstehn Sie, ich suchte eine Rolle... Nicht bloß ein Engagement, Sie wissen, was ich meine... Obwohl es nicht leicht war, ein Engagement zu bekommen... Aber selbst wenn ich ein Engagement gehabt habe ... also wie soll ich Ihnen das erklären? – Immer beim Abschminken habe ich, mein Gesicht im Spiegel betrachtend, das Gefühl gehabt, da müßte noch was abgehn... So, als wäre auch die eigene Haut noch Maske... So, als müßte noch etwas dahinter sein... Und tatsächlich: es *war* ja noch etwas dahinter! – Sehn Sie (er sprang wieder auf, kramte in einer Lade und warf ein Foto auf den Tisch)... Sehn Sie, das war ich damals, das war damals *ich!* ... Würden Sie mich erkennen? ... Nein? ... Ich mich auch nicht... Und tatsächlich *hab* ich mich ja nicht erkannt!
Bis zu dem Tag, an dem sie mir den Strom abgesperrt haben. Ich war damals wieder einmal vergeblich von Agentur zu Agentur gelaufen und kehrte, nach einem kurzen Besuch in der Kneipe, wo ich mein vorletztes Geld für ein Glas schlechten Wein ausgegeben hatte, an Leib und Seele nur mäßig erwärmt nach Hause zurück. Da fand ich an meiner Tür einen Zettel von jenem Aussehen vor, das man, sofern man Erfahrung mit so etwas hat, sofort als amtlich erkennt. Ich löste den Klebestreifen, mit dem das Schreiben an der Füllung befestigt war, entfaltete und las. ›Sehr geehrter Herr Stromabnehmer, da Sie die fällige

Rate nicht bezahlt haben und uns überdies den Zugang zu unserem Meßgerät verweigern, sehen wir uns gezwungen, die Lieferung bis auf Weiteres einzustellen.‹ Ich zerknüllte den Wisch und betrat meine Wohnung. Probierte den Schalter gleich in der Küche – dunkel! Auch im Zimmer dasselbe – da ward kein Licht... Es war Spätherbst, wie jetzt, es war Dämmerung, wie jetzt, ich verlor nicht allzuviel Zeit mit Fluchen, sondern suchte nach einer Kerze. Entflammte ein Streichholz, zündete den Stummel, den ich gefunden hatte, an, tropfte etwas Wachs auf eine Untertasse. Pflanzte das Licht darauf, stellte es auf den Tisch und setzte mich in den Schaukelstuhl. Oder nein, falsch, zuvor ging ich noch, die Kerze in der Hand, in die Küche und holte mir aus der Kredenz eine bis dahin nur halbgeleerte Flasche Rum... Und *dann* stellte ich das Licht auf den Tisch und *dann* saß ich im Schaukelstuhl, in die lebendige Flamme starrend. Ich sage lebendige Flamme, weil sie sich, und das fiel mir besonders auf, sehr deutlich bewegte. Wahrscheinlich im Luftzug, denn meine Fenster waren nicht dicht. Oder sie brauchte ganz einfach Zeit, um zur Ruhe zu kommen, wie ich. – Sie sehen, die Flamme beanspruchte meine Aufmerksamkeit. Ihr helles – was ist das? – Gelb oder Weiß? – es läßt sich kaum sagen. Und um den Docht dieser blauviolette Kern! Und außen herum der Strahlenkranz, diese Aura! – Sie hatte jetzt nahezu aufgehört, sich zu bewegen. Doch schien sie mir manchmal näher und manchmal ferner. Herangezogen und distanziert, wie durch Zoom. In einem Rhythmus, der auf mich überging... Oder ging dieser Rhythmus vielleicht von mir aus? Von meiner Atembewegung, von meinem Herzschlag? Schwer zu beurteilen, aber im Grunde egal. Jedenfalls fühlte ich mich wie hypnotisiert. – Und dann fing auf einmal das Klavierspielen an. Sie müssen wissen, daß damals in der Wohnung unter mir eine Frau wohnte, eine gewisse Ursula Mayer, die jeden Abend eine Stunde Klavier übte, mir nicht immer zum Gefallen. Was sie da spielte, war ebensowenig ungewöhnlich, wie ihr Allerweltsname. Vor allem Skalen und Fingerübungen – also sie ging mir, besonders wenn ich schwierige Rollen zu lernen hatte, ganz tüchtig auf die Nerven. Aber an diesem Abend, dem Abend, an dem ich wie hypnotisiert in die Kerze starrte, ab und zu einen kleinen Schluck zur Brust nehmend, da klimperte sie nicht. Sondern sie spielte (zumindest hörte ichs so) sehr schön. Keine Skalen, keine Fingerübungen, sondern eine Melodie, die mich, je mehr sie davon, zuerst etwas mühsam noch, ertastete, desto mehr zum Hinhören zwang. Und dann war die Melodie, die ich erkannte, *wieder* erkannte (oh diese Erinnerungsträchtigkeit!), auf einmal ganz da, und ich war ganz woanders... Nämlich – wie soll ichs Ihnen vermitteln? – ich sah mich selbst (obwohl ich ein anderer war) in einem fremden, altertümlichen Kostüm (hellseidene Schalkrawatte, dunkelsamtener Bratenrock, enge, silbrig glänzende Kniehosen – ein Aufzug, in dem ich, das schwöre ich Ihnen, nie gespielt hatte, denn die Theater, in denen ich auftreten durfte, bevorzugten Modernes), so also sah ich mich, neben einem entsprechend gekleideten, schwarzgelockten Mädchen an einem Klavier sitzen, hörte mich, nach der Art der Klavierlehrer, mit einer fremden Stimme, die dennoch die meine war, den Takt zählen (ei-ne, zwei-e), das alles in einem anderen, mit Stilmöbeln (Empire?) eingerichteten Raum, einem *Salon* mit großem, in einen Garten voll hoher, ernster Bäume hinausblickenden Verandafenster, sah diese Szene gewissermaßen von außen und oben, und dabei war mir zu gleicher Zeit – ja, das ist der einzig richtige Ausdruck – so wohl und weh ums Herz, daß es sich in einer weniger anachronistischen Sprache (inzwischen, mein lieber Kreisler, weiß ich ganz gut, wie relativ nicht zuletzt unser Sprachgebrauch ist ...) kaum sagen läßt... Und dann – wie kann ichs beschreiben – ging von dem hübschen Bild, das ich vorerst aus der Vogelperspektive sah, ein immer stärker werdender Sog aus. Und ohne genauer sagen zu können, wie, war ich plötzlich (ein bißchen schwindlig) in jenem anderen Körper meiner selbst. Und griff nach der Hand des Mädchens, empfand – elektrisierend, elektrisiert – die Berührung. Und sprach mit der Stimme, die mir jetzt nicht mehr so fremd klang: ›Nicht *so*, Käthchen, *so!*‹ –

Diese Worte waren mit Wärme, doch sachlich gesprochen, betrafen sie doch, wie ich, kaum hatte ich sie gesagt, begriff, den Fingersatz. Aber indem mir das Mädchen nun seinen Blick zuwandte, aus einem Paar großer, tiefer, schönmelancholischer Augen, auf deren sehr blauem Grund allerdings etwas anderes (Spöttisches? Grausames?) schimmerte, war meine Sachlichkeit dahin. Ich führte die Hand an die Lippen und wollte sie küssen, doch sie wurde mir entzogen. ›Nicht doch, Monsieur Hoffmann‹, sagte das Mädchen mit einer Stimme – entschuldigen Sie, aber so oft ich daran denke, komme ich ins Schwärmen! – mit einer *Glocken*stimme, ›das dürfen Sie nicht. Im übrigen sollen Sie mich nicht Käthchen nennen, sondern bestenfalls Julchen, das ist genug der Intimität!‹«

Professor, ich kann mir schon denken, was Sie jetzt denken. Vielleicht hätte ich diesen Monolog im Konjunktiv wiedergeben sollen, um eine gewisse Distanz zu signalisieren. Aber ich habe Kowalsky so oft erzählen gehört, daß ich seine Art zu erzählen ganz einfach im Ohr habe. Wenn Sie vermuten, daß Hoffmanns Erzählungen meine Erzählungen sind, dann sind Sie auf dem Holzweg.

Aber zurück zu Kowalsky und *meiner* Skepsis. (Die hatte ich nämlich zu diesem Zeitpunkt durchaus noch.) Nachdem er soweit, wie ich jetzt, erzählt hatte, schwieg er.

»Und weiter?«

»Nichts weiter. Dann ging die Kerze aus und ich saß wieder in meinem, nun allerdings dunklen, Zimmer.«

»Na hören Sie«, sagte ich, »das riecht aber sehr nach Schwefelhölzchen!«

»Tja«, sagte er, sich eine neue Pfeife stopfend, »auch der Kollege Andersen war ein visionär recht begabter Schriftsteller.«

»Und *Ihre* Märchen, soll ich die für realer halten als seine?«

»Mein lieber Kreisler«, sagte er artikuliert, »das *sind* keine Märchen!«

Was sollte ich ihm entgegnen? Ich trank meinen Tee aus. Wahrscheinlich war es jetzt doch am besten, zu gehn. Es war nicht nur meine Ratlosigkeit, die mir das nahelegte, sondern auch und vor allem ein wachsendes Unbehagen. Wie mein Gastgeber da saß, noch immer oder schon wieder Rauchkringel in den Raum stoßend, wirkte er zwar zum Unterschied von vorher ruhig und entspannt, aber abgesehn davon, daß mir (was schmauchte er nur für ein Kraut?) der Rauch zu Kopf stieg, schien er, und das verursachte mir nervöses Jucken am Rücken, etwas von mir zu erwarten. Im übrigen fühlte ich mich durch den Kater fixiert. Wie mich der anstarrte mit seinen Phosphoraugen! Und außerdem – ja, Sie werdens nicht glauben, Professor – aber ich sage Ihnen, er grinste unter dem Fell!

»Ich werde jetzt aufbrechen«, sagte ich. »Danke für die Einladung. Nur eine Frage noch – können Sie mir nicht doch den Namen und die Adresse dieser jungen Dame ...?«

»Nein«, unterbrach mich Kowalsky, »das kann ich nicht. Oder – damit Sie mich besser verstehen – ich *will* nicht!«

Da stieg eine hilf- und heillose Wut in mir auf. Warum setzte ich mich diesem Verrückten aus, warum ließ ich mir von ihm die Regeln für ein Spiel aufzwingen, das ich nicht durchschaute?

»Na bitte«, rief ich in einer Lautstärke, die mich selbst überraschte und den Kater die Ohren zurücklegen ließ, »dann behalten Sie Ihr Geheimnis! Und was Sie sonst noch für Ihre Geheimnisse halten! – Wenn ich etwas auf dieser Welt nicht leiden kann, dann ist es das Irrationale. Bei Ihnen scheint das Konträre der Fall zu sein. Also, was haben wir zwei miteinander zu schaffen? In diesem Sinne: auf Nimmerwiedersehn!«

Schon in der Küche, kämpfte ich mit meinem Mantel. Kowalsky wollte mir helfen. (Das ließ ich nicht zu.)

»Sie mißverstehen mich«, sagte er milde, »schade. Aber sollten Sie sich bis morgen beruhigt und wieder Lust auf

Thee haben, so bleibt mein Angebot, Ihnen mehr zu erzählen, selbstverständlich aufrecht.«

ALSO, PROFESSOR, jetzt enttäuschen Sie mich! Wenn ich Ihren psychoanalytischen Beistand wollte, wäre ich zu Ihnen in die Sprechstunde gekommen und hätte mich auf Ihre Couch gelegt! Aus der Art, wie ich zu Ihnen Kontakt aufgenommen habe, hätten Sie schließen können, daß es mir um etwas anderes geht. Aber ... wenn Sie das unbedingt brauchen ... anbei ein paar Kindheitserinnerungen.

Zum Beispiel die: Es ist Sonntag vormittag. Personen der Szene: mein Vater, meine Mutter und ich, ein Knabe von damals vielleicht vier Jahren. Ich stehe da, mit einem riesigen Schwamm in der Hand und helfe beim Autowaschen. Aber ich wasche nicht nur – ich singe auch! – Was singe ich bloß? Ich glaube: ›Der Mai ist gekommen!‹ Und obwohl die Straße wie leergefegt ist, sagt meine Mutter: »Du bist ja nicht allein da!« Das sagt sie mit demonstrativ gequälter Miene. Und mein Vater? Was sagt mein Vater? – Mein Vater sagt gar nichts.

Übrigens war mein Herr Papa Kontrolleur. Vertreter der Autorität der Verkehrsbetriebe. Fuhr, anfangs in Uniform, später zivil, mit der Tram. Um Schwarzfahrer aufzuspüren und zu, wie er jahrelang erläuterte, volkswirtschaftlich gerechtfertigten Geldstrafen zu verdonnern. Eines Abends jedoch, ich erinnere mich, da kam er, von zwei Kollegen gestützt, nach Haus. Er war, alkoholisiert, was sonst bei ihm im Dienst nicht vorkam, dazu übergegangen, die einsteigenden Fahrgäste zum Schwarzfahren zu überreden. Meine Mutter, besorgt (»Was ist dir denn Toni?«), zog meinen Vater aus, legte ihn ins Bett und deckte ihn zu. Er aber lallte noch lange (und ich muß sagen, das hat mich zutiefst beeindruckt):

»Die Schwarzfahrer haben ja recht!«
Das fällt mir, Professor, zu meinen Eltern ein. Bei sexuellen Aktivitäten habe ich sie übrigens nie ertappt, im Gegenteil. Das heißt, erstens hätte es mich, ehrlich gestanden, überrascht, sie mit so etwas befaßt zu finden, und zweitens... Hier könnte ich Ihnen nun etwas über mein Verhältnis (nein, meine Liebe) zu Kathi erzählen, aber ich tus nicht.

SEHN SIE, PROFESSOR, ich hatte wirklich keinerlei Absicht, wiederzukommen. Den anderen Tag erwachte ich mit dem weisen Vorsatz, im Bett zu bleiben. Mein Körper war müde, und nach den jüngsten Erfahrungen wollte ich auch meine überstrapazierte Seele schonen. Aber als ich mich umdrehte, um möglichst traumlos weiter zu schlafen, begann (obwohl Samstag war!) wieder die Kreissäge zu kreischen. Ich kroch also auf und schleppte mich ins Hotelrestaurant. Trank Kaffee mit Cognac und versuchte aufs neue, mich Sophie verständlich zu machen. Aufs neue vergebens – am Kugelschreiber nagend starrte ich durch eine Glasscheibe voll grauer abwärtsrinnender Regentropfen. Dahinter stockte dumpf brodelnder Großstadtverkehr.
Schließlich trieb ich, vom Parapluie des Portiers, einem schwarzen, umfangreichen Ungetüm, dessen spitz auslaufende Rippen die entgegenflutenden Menschen gefährdeten, mehr behindert als geschützt, stadteinwärts. Ich wollte, da mir nichts Besseres einfiel, ins Zentrum. Nun ist aber dieses Berlin, wie Sie wahrscheinlich wissen, eine infolge der Teilung zentrumslose Stadt. Also ich hatte den Eindruck, ich ging im Kreis.
Und dann war da dieses Lokal. Eine plumpe Verführung. SEX, stand in großen, zwinkernden Neonlettern über dem Eingang. Das war, ich muß es gestehen, genau was ich brauchte. Seit meinem Aufbruch in Sachen Hoffmann und der damit verbundenen Trennung von Sophie entbehrte ich (abgesehen von jenem, leider in wesentlichen Passagen vergessenen, nächtlichen Erlebnis) jeden einschlägigen Kontakt.
So übertrat ich, mich überwindend, die Schwelle des An-

stands. Einer vermutlich in zweifelhaften Ehren verfetteten Dame, die ihren gewaltigen Busen auf eine Registrierkasse stützte, antwortete ich auf die Frage nach meinem Begehr aus Tarnungsgründen englisch. »To the Cinema!« sagte ich heiser. Sie nickte gelangweilt. Schob mir ein Pornoheft und eine Karte hin: »Fünfzehn Mark fuffzich.« – Dann tauchte ich durch den Spalt eines Filzvorhangs, der mir rauh übers Gesicht rieb. Und dann ertastete ich einen Platz zwischen durch mein Erscheinen aufgestört wirkenden Schatten vermutlich männlichen Geschlechts. Das weibliche Geschlecht indessen agierte überlebensgroß und tatsächlich auf seine Geschlechtlichkeit objektiviert (oder reduziert) auf der Leinwand. Aber, Professor, ich will hier keine pseudokritische Analyse anstellen – es geht mir um etwas ganz anderes.

Mir nämlich gelang es nicht zu objektivieren, im Gegenteil. Kaum hatte ich mich auf den Film konzentriert, sah ich *sie*. Sie räkelte sich an einem Strand, streifte den ohnehin kleinen, weißen Bikini ab, vergoldete ihre nackte Haut mit Sand. Und als sie dann zu einem raffinierterweise meist kopflosen, aber nicht unattraktiven Herrn zärtlich war, identifizierte ich mich, über gewisse physische Unterschiede nobel hinwegsehend, mit ihm.

Natürlich war sies, nehme ich an, nicht wirklich. Aber die Ähnlichkeit schien mir frappant und regte mich auf. Nicht nur physisch, sondern, verstehn Sie, auch psychisch. Als der Streifen, in dem sie agierte, zu Ende geflimmert war, und zwei andere, ihr absolut unähnliche Mädchen auftauchten, verließ ich, Pornoheft und Portiersschirm vergessend, verwirrt den Saal.

Draußen hatte ich das Bedürfnis zu gehen, zu gehen, beinahe zu laufen. Ich kam an eine S-Bahn Station, löste mir eine Fahrkarte, nahm den nächsten Zug. Es interessierte mich nicht, wohin ich fuhr. Ich wollte nur weg, womöglich weg von mir selbst. Dann mußte ich aussteigen, irgendwo an der Mauer. Das heißt, vielleicht hätte ich gar nicht aussteigen müssen, aber mir fiel ein, daß ich keinen Paß hatte. Ich stieg also vorsichtshalber aus und schaute mich um. Zwar wußte ich – früher war ich einmal bei einem Germanistenkongreß im Osten der Stadt gewesen, was jenseits war, aber von dieser Seite (und in meiner Stimmung) schien mir die Grenze wie das Ende der Welt. Es hatte inzwischen zu regnen aufgehört, doch nun senkte sich der Nebel. Eine übers S-Bahn Gleis gespannte, metallene Fußgeherbrücke führte bizarr ins Nichts. Ich eilte durch öde Straßen, in denen die wenigen Menschen, die mir entgegen kamen, mit durchwegs gesenkten Köpfen gingen, zurück Richtung Westen. Und dann, Professor, dann sah ich sie plötzlich vor mir. – Ja, ich war sicher, sie war es, jetzt war sies leibhaftig! Zwar war ihre schmale, knabenhafte Figur nun von einem schlottrigen, mausgrauen Mantel umhüllt, der sie, so weit ich das auf Entfernung beurteilen konnte, nicht nur gewissermaßen verkleidete, sondern auch entstellte, aber mich konnte sie nicht täuschen! Ich beschleunigte meine Schritte – sie ebenfalls – ich lief, um sie einzuholen – da lief sie auch. Sie schaute sich um – ich rief – sie erkannte mich nicht. Oder, Professor, sie *wollte* mich nicht erkennen. Oder, auch das ist möglich, sie hielt mich zum Narren. Ja, zuweilen ließ sie mich näher kommen. Doch dann, wenn ich glaubte, sie warte, entwischte sie wieder! Schließlich wechselte sie die Straßenseite. Und schlüpfte, sich noch

einmal umsehend, in ein Haustor. Ich hinterher. Der Flur war ein langer Schlauch. Danach kam ein Hof. Und dann – das Haus war ein Durchhaus! – Am anderen Ausgang war sie nicht mehr zu sehn. Da stand ich, verschwitzt trotz der Kälte, und atemlos. Aber, Professor, das wahr noch nicht alles, beileibe! Stellen Sie sich meine Überraschung, ja mein Erschrecken vor, als ich nach und nach durch den Nebel genau jenen sich unerwartet öffnenden Platz erkannte (vergilbte Wiese, an der Ziegelwand aufgereihte Mülleimer, leere Wäscheleinen, Klopfstange, Fahrrad, verlassner Tabakwarenladen, mutterseelenalleinstehendes Telefonhaus ...), den ich gestern, nur von der anderen Seite, betreten hatte.
Im ersten Moment war mir wirklich nach Flucht zumute. Allmählich aber beruhigte ich mich – kein Anlaß zur Panik. War doch das alles nur ein Beweis für meinen Verdacht. Kowalsky und sie (dieser Nachtschmetterling, der mich verrückt machte) steckten unter einer Decke. Wahrscheinlich war sie jetzt eben bei ihm, ja gewiß. Zwei Fenster des einsamen Hauses waren erleuchtet. Na also. Jetzt würde ich sie miteinander ertappen. Was immer sie für ein Interesse daran hatten, mich an der Nase herum zu führen, das hatte jetzt ein Ende!
Der gefährlichen Baufälligkeit nicht achtend nahm ich die Treppe. Klapperte, bar aller Vorsicht, über die lockeren Fliesen, klopfte wie ein Polizist. – »Was ist denn in Sie gefahren?« fragte Kowalsky. – »Wo ist sie?« keuchte ich wild und schob ihn beiseite.
Ich stürmte ins Zimmer. Der Kater sträubte den Pelz. – »Wo ist sie?« – »Wer?« – »Na Julia. Oder wie heißt sie?« – Kowalsky schaute mich lachfältchenkneifend an. –

»Mein lieber Kreisler, ich versichere Ihnen, Sie befinden sich im Irrtum!«
Da stand ich, schnaufend. Hatte ich mich geirrt? Ja nicht nur geirrt, sondern bis auf die Knochen blamiert? – »Entschuldigen Sie«, murmelte ich, aber da fiel mein Blick auf die Tür. Die Tür, durch die gestern der Kater gekommen war, ja natürlich!
Rasch trat ich drauf zu. – »Sie ist da dahinter, stimmts?«
»Da dahinter«, sagte Kowalsky, »ist nichts.«
»Was soll denn das heißen, nichts?«
»Na nichts. Nur ein Abgrund ... Hören Sie auf zu rütteln, Sie stürzen noch ab!«
Er zog einen Schlüsselbund aus dem Schlafrock und sperrte auf.
Hinter der Tür: Eine Schutthalde. Preßluftbohrer.
»Sehn Sie?« sagte Kowalsky, »Was hab ich gesagt? Doch jetzt beruhigen und setzen Sie sich. Der Thee ist gleich fertig.«

Dann saß er mir gegenüber, wie tags zuvor.
Und sah noch ärger, als gestern, nach Hoffmann aus. Käppchen, Schlafrock – aber nein, die Ähnlichkeit lag keineswegs nur am Kostüm. Und die Rauchkringel, die er aus seiner langen Tonpfeife stieß, schwebten, so schien es mir wenigstens, noch betörender und beharrlicher im Raum.
»Schön, lieber Kreisler«, sagte er schließlich, »schön, daß Sie da sind. Ehrlich gestanden, nach Ihrem gestrigen Aufbruch war ich mir Ihres Wiederkommens nicht so sicher.«
Ich wollte einhaken, doch er schnitt mir das Wort ab.

»Allein, wie ich sehe, sind Sie begierig, weiter zu hören!«
Professor, was hätten denn Sie auf sowas gesagt?
Die Art, wie er sprach und agierte, war einfach entwaffnend.
Und ich, der ich noch vor fünf Minuten entschlossen gewesen war, offensiv zu bleiben, mir das alles (Was eigentlich? – Diese Nötigung! Dieses geistige Kidnapping! hatte ich sagen wollen) nicht mehr gefallen zu lassen, ich schwieg.
Was ich als Abwehr zustande brachte, war bestenfalls passive Resistenz.
Das heißt, er erzählte und ich *ließ* ihn erzählen.
Zuerst noch mit demonstrativem Desinteresse, doch dann...
Nach jener ersten Vision mit seiner Schülerin Julia Marc war ihm einige Zeit nichts vergleichbar Okkultes passiert.
Weitere, vorsätzlich angezündete Kerzen hatten nichts bewirkt.
Dann aber, eines Tages im folgenden Frühling, war er im Bus gefahren. Und zwar über Land, eines Engagements in der Provinz wegen. Ich habe, da ich hier, wie gesagt, noch nicht richtig zuhörte, zuhören *wollte,* den Namen der Stadt, mit deren Theater er korrespondiert hatte, vergessen. Doch jedenfalls gab es, nicht weit von dort, einen Unfall. Relativ harmlos: einem auf der Gegenspur überholenden PKW ausweichend hatte der Fahrer den Bus an die Böschung gelenkt. »Doch da durchzuckte mich« – so Kowalsky – »ein greller Schreck. Ich fiel ganz einfach« – erzählte er – »rückwärts vom Sitz. Aber im Geiste fiel ich viel weiter zurück. Ich erlitt« – erzählte er – »einen

Schock. Man machte mir das Hemd auf und legte mir ein an der dem Unfallort benachbarten Tankstelle befeuchtetes Tuch auf die Stirn. Der Buschauffeur versuchte mich zu beruhigen. Aber als das nichts nützte, brachte man mich, gemeinsam mit einer leicht an der Stirn verletzten Dame, die neben mir gesessen hatte, ins nächste Krankenhaus. Dort hatte ich schlimme Fieberträume. Eine in den Straßengraben gekippte Postkutsche sah ich vor mir und ein Rad, das sich schwarzverschmutzt vom tiefen Boden weg, weiter und weiter gegen einen sehr roten Abendhimmel drehte. Und immer wieder rief ich ›Mischa!‹. Mischa. Nichtwahr, Sie wissen doch, wer das ist?«

Das fragte er *mich*. Ich nickte betroffen. »Natürlich. Ihre« – ich korrigierte mich – »Hoffmanns Frau.«

»Ich hab sie doch gern gehabt«, sagte er, »geben Sies zu!«

Sein Blick: eine Bitte.

»Sicher«, sagte ich. »Klar!«

Trotzdem schien er von meiner Ehrlichkeit nicht ganz überzeugt zu sein.

»In bezug auf die Dichterfrauen«, sagte er, »neigen nämlich die Biographien mehr noch als sonst zur abgeschmacktesten Gemeinheit. Denken Sie nur an die Vulpius und Frau Heine. Aber ich wollte von meinem Unfall erzählen...

Ich habe das alles wieder vor mir gesehn ... dort, im Spital ... diese ganze, schreckliche Szene ... Sie wissen, das war auf dem Weg von Dresden nach Leipzig ... 20. Mai 1812, dieses Datum habe ich zwei Leben lang nicht vergessen... Sie wissen weiters, wir reisten Seconda nach... Er hatte mich als Kapellmeister engagiert ... Theaterkapellmeister, ... endlich, das hatte ich erträumt... Aber da kam mir Napoleon in die Quere... Rundum war Krieg, die Straßen waren voll von nachrückenden Truppen... Sogar in der Kutsche saßen französische Offiziere... Ich erinnere mich noch genau, sie trugen rotweißblaue Uniformen, hielten die Dreispitze auf dem Schoß... Und einer von ihnen, der hatte so eine schreckliche Narbe, mitten durchs Gesicht... Die Kutsche rumpelte furchtbar, mir war speiübel... Aber ich ließ mir nichts anmerken, Mischas wegen... Mischa, die gute Seele, sie saß neben mir... Ihr Kopf lag an meiner Schulter, sie war einfach *da*... Treu, obwohl ich sie zahllose Male betrogen hatte... Letzthin mit Käthchen, ich meine, mit Julchen, zumindest geistig... Hören Sie, Kreisler, ich liebte sie wirklich, die Mischa... Das ist ein Punkt, den ich unbedingt klären muß... Ja, ich weiß, man hat anderes kolportiert. Aber ich sage Ihnen, ohne Mischa wäre ich nur ein halber Mensch gewesen. Anderseits, wissen Sie, solche wie wir sind durch Schönheit verführbar. Denn was ist denn das, was wir erträumen, Satz für Satz, auch wenn wir dann manchmal den Gegen-Satz hinschreiben, Häßliches, Krankes, Morbides – was sonst, als die Schönheit? – Und weshalb kritisieren wir sie denn so vehement, die sogenannte Realität? – In ihr ist die Schönheit, die wir ersehnen, so selten verwirklicht! – Nur manchmal, da schimmert sie durch, da kommt sie zum Vorschein. In der Natur, in der Kunst und – in exquisiten Augenblicken (wahrscheinlich auch nur *für* exquisite Augenblicke...) in Fleisch und Blut! – Das soll im übrigen keineswegs heißen, daß Mischa nicht hübsch war. Im Gegenteil: sie hatte nicht nur eine gute Seele, sondern auch einen guten, von mir sowohl aus Leidenschaft als auch aus bester Gewohnheit begehrten Körper. Aber sie war von ganz und gar irdischer Art. Julia hingegen – vielleicht kann man das nicht verstehn, wenn man späte Bilder von ihr sieht – Julia in ihrer frühen Bamberger Blüte kam mir vor wie ein Engel... Aber zurück zu jenem 20. Mai... Wir fuhren in der Postkutsche, Bamberg lag hinter mir, an mich gelehnt saß Mischa... Und mir war übel, ich hatte ganz einfach Angst... Draußen war Krieg: zertrampelte Felder, verbrannte Dörfer... Vor einer Woche war eine Granate geplatzt auf dem Altmarkt in Dresden... Und dann war ein Greis auf dem Straßenpflaster gelegen, wie amputiert... Vorgestern war ich in ein Scharmützel geraten... Eine verirrte – französische? preußische? russische? Kugel hatte gottlob nur den Schaft meines Stiefels getroffen – mein Bein schmerzte trotzdem... Also Sie merken schon, Kreisler, ich war kein Held... Und dennoch hatte ich weniger Angst um mich... Sondern vor allem um sie, meine Frau, um Mischa... Vielleicht, Sie verstehn, was ich meine, aus schlechtem Gewissen... Da saß sie, an meiner Seite, die Augen geschlossen... Die Augen zu schließen, ja, das war ihre Art... Oft hatte ich mich, sie umarmend, gewundert, daß sie nichts merkte... Aber sie *liebte* auch mit geschlossenen Augen... Also ich hatte so eine Ahnung, verstehn Sie? ... Und vielleicht ahnte ich auch das Unheil herbei... Als jedenfalls dann, an der ersten Poststation, nicht weit von Meissen, ein junges Pferd scheute und nach dem Graben lenkte, war ich nicht einmal überrascht... Nein, da dachte ich nur: Jetzt ist es soweit... Dann wurde ich über Mischa hinweg geschleudert... Und dann ... mein Gott, ihr Gesicht war blut-

überströmt! ... Im ersten Augenblick glaubte ich – aber genug! – Warten Sie, heute öffnen wir wirklich den Wein!«
Mit diesen Worten erhob er sich abrupt und verschwand in der Küche. Und ich? Ich saß da und war trotz meiner Skepsis betroffen, erschüttert. Wie ging das bloß zu – wenn dieser Mann nicht tatsächlich der reinkarnierte Hoffmann war (und das glaubte ich nicht, das zu glauben wehrte ich mich ...)? Wie konnte er sich dann derart in Hoffmanns gelebtes Leben zurückphantasieren, zurückprojizieren?
Nach einer Weile, die länger schien, als man zum Holen der Weinflasche brauchte, kam er zurück. Stellte zwei Gläser auf den Tisch, schenkte ein – der Wein klang sehr alt. Er schmeckte auch so. Wir tranken mit Andacht und schwiegen. Nur der Kater, zwischen uns sitzend, schnurrte.
»Sagen Sie«, sagte ich endlich, meine ganze, etwas durcheinander geratene Rationaliät zusammennehmend, »sagen Sie, Herr Kowalsky, haben Sie ehemals, ich meine, bevor Sie Ihre Visionen gehabt haben, viel (aus taktischen Gründen wollte ich nicht gleich sagen *allzuviel*) Hoffmann gelesen? Selbstverständlich ist mir Ihre schöne Gesamtausgabe dort drüben im Bücherregal nicht entgangen, es wäre doch möglich ...«
Er zuckte nervös die Achseln und begann wieder, im Zimmer auf und ab zu gehn, sich ungehalten räuspernd.
»Also«, sagte ich, »haben Sie oder haben Sie nicht?«
»Natürlich«, sagte er, »habe ich Hoffmann gelesen, aber das geht Sie nichts an!«
»Na hören Sie!«, sagte ich, »warum sollte mich das nichts

angehn? Es interessiert mich!«

»Interessieren Sie sich für Ihre Angelegenheiten«, sagte er barsch. »Interessieren Sie sich für Ihren eigenen Kram und lassen Sie mich in Frieden!«

»Aber ich bitte Sie«, sagte ich etwas perplex. »*Ich* – ich hätte Sie durchaus in Frieden gelassen! Drehen Sie jetzt nicht den Spieß um – schließlich waren es Sie, der mir seine Geschichte erzählen wollte ...«

»*Hoffmanns* Geschichte«, sagte er, »nicht die Kowalskys!«

Dies sagte er in einem Tonfall und mit einem Blick aus seinen seltsamen, großpupilligen Augen (nahm er am Ende Drogen?), daß ich erschrak. Sicher, er war ein Irrer! Womöglich gefährlich!

»Gut«, sagte ich, mich vorsichtig erhebend, »werde ich Sie halt in Frieden *lassen.*«

»Nein, bleiben Sie«, sagte er leise, »machen Sie mich nicht unglücklich.«

»Sehen Sie«, sagte er, »es ist keineswegs so, daß ich Ihnen das nicht erzählen möchte ... Ich meine, *daß* und *wie* ich Hoffmann damals gelesen habe – vor allem und *wie!* Verschlungen, jawohl, verschlungen habe ich ihn! Nach und nach jeden Satz wiedererkennend – allein, es gibt gewisse Umstände ... Aber seisdrum! Sie sollen es wissen, Kreisler! Also ich bin (als Kowalsky) im Knast gesessen... Weswegen? ... Nun denn, wegen boshafter Sachbeschädigung und Widerstands gegen die Staatsgewalt... Ja – nach der Räumung eines besetzten Gebäudes... Was schauen Sie mich so an? Verurteilen Sie mich? ... Ach so, Sie meinen, das war womöglich kein Knast, sondern eher eine Klapsmühle? ... Aber, mein Bester, jetzt denken Sie

doch einmal logisch! ... Glauben Sie, dort hätte man mir ausgerechnet E. T. A. Hoffmann als Lektüre gegeben? – Na eben! ... Noch immer Zweifel? ... Also gut, ich gebs zu... Mein Delikt war ein anderes... Scheckbetrug... Das war eine schlechte Zeit für mich und ich bin ein guter Kalligraph... Aber gesessen hab ich auf jeden Fall... Und habe Zeit gehabt, meine Werke zu lesen... Ja, *meine* Werke, glotzen Sie nicht so verstört! ... Ich habe mich Wort für Wort meiner Werke erinnert... Schließlich sogar über bisher Gedrucktes hinaus! ... Ja, Haha! Sie glauben mir immer noch nicht! ... Kreisler, was *sind* Sie doch für ein Philister geworden! ... Sie wollen Beweise. Mein Wort genügt nicht. Na schön! ... Wie Sie wollen. Ich werde Beweise liefern!«
Nocheinmal räusperte sich Kowalsky, nun fast bedrohlich.
Dann trat er an die Kommode, öffnete mit einem zornigen Ruck die Lade, der er am Tag zuvor die Photos entnommen hatte, und warf mir eine Mappe auf den Tisch. Gewichtig, in ochsblutfarbenes Leder gebunden, mäanderverziert. »Bitte, Herr Germanist! Bedienen Sie sich!«
Ehrlich gestanden empfand ich Scheu, dieser Aufforderung nachzukommen. Ich hatte das (wie Sie mir bald zugestehen werden) richtige Gefühl, wenn ich die Mappe aufschlüge, würde ich einen unwiderruflichen Akt setzen, nicht mehr zurückkönnen.
»Ein schönes Stück«, sagte ich und strich mit den Fingerspitzen über die Randverzierung.
»Sie sollens nicht kaufen«, sagte Kowalsky, »sondern drin lesen.«
Ich zögerte immer noch, die Mappe zu öffnen.

Da griff mir Kowalsky über die Schulter und tat es für mich.
»Kennen Sie diese Handschrift?«
Ich nahm die Brille.
Kein Zweifel, Professor – es war die Handschrift Hoffmanns!
Das können Sie ungeprüft glauben. Ich bin Experte. Im Zuge meiner Beschäftigung mit Hoffmann habe ich derart viele von seinen Originalmanuskripten zu Gesicht bekommen, daß ich seine Schrift beinahe ebenso gut kenne wie meine eigene. Über den Zeilen spitz und ein wenig zu eng. Dagegen geschwungen, verschnörkelt und ab und zu ausfahrend unter den Zeilen.
»Aber woher?«, fragte ich, als ich endlich wieder Worte fand, »haben Sie dieses Manuskript?«
»Davon später. Würden Sie vorerst die Güte haben, nicht nur zu staunen, sondern auch ein paar Zeilen zu lesen? Etwa die hier?« (sein Finger wies auf die Stelle). »Und wenn es Ihnen nichts ausmacht, lesen Sie laut...«
»Die Justiz«, las ich, »abgesehn davon, daß sie, und jetzt erst recht, weit davon entfernt ist, RECHT zu sein – kann mir nicht anders erscheinen, als eine Zumutung. Zu heterogen ist sie der Kunst, der ich mich verschrieben. So muß ich eine Hälfte meiner Selbst an das verschwenden, was meinem eigentlichen, tieferen Prinzip widerstrebt. Allerdings bin ich auch sonst in mir selbst gespalten, hängen doch Fetzen meines armen Herzens noch immer an K. – und diese Johanna, die Fouqué als Undine zu sehn wünscht, erinnert mich so sehr an sie, daß ich sie darüber fast vergessen könnte.«
»Nun?« fragte Kowalsky.

»Nun ja – das ist offenbar aus Hoffmanns Tagebuch... Geschrieben nach seiner Wiedereinstellung als Kriminalrat.«
»Stimmt«, sagte Kowalsky. »Aber fällt Ihnen gar nichts auf? – Ich habe geglaubt, Dr. Kreisler, Sie sind Spezialist!«
Das klang fast enttäuscht.
Ich wurde unsicher. »N-nein.«
»Schön. Ich will Ihnen helfen. Beachten Sie das Datum!«
Tatsächlich. Das Datum! – Es war der 7. März 1815.
»Aber das ist doch unmöglich!«
Er lächelte. »Nichtwahr?«
Mit der Wirkung, die ich nun zeigte, war er zufrieden. Aber ich muß wohl erklären, Professor, worauf sie beruhte.
Hoffmanns der Germanistik bekanntes Tagebuch endet mit dem 3. März 1815. Danach hat er nichts mehr notiert (das war zumindest die bis zu meinem Zusammentreffen mit ihm – ich meine Kowalsky – gültige These).
Kowalsky jedoch hatte noch ein As im Talon.
»Und jetzt, lieber Kreisler, verrate ich Ihnen ein großes Geheimnis! Diese Handschrift ist nicht die Hoffmanns, sondern die meine. Das heißt, sie ist wohlverstanden sehr wohl die Hoffmanns – aber nicht damals, 1815, geschrieben, sondern im Lauf der vergangenen Jahre, also sozusagen heute!«
»Aber das Datum, auf das Sie mich hingewiesen haben?!«
»Stimmt!«
»1815, 1816 (ich blätterte wild) 1817?!«
»Die Zeit, verehrtester Doktor, ist relativ. Sagt, wie Sie wissen, Einstein. Einstein hat recht!«

»Das haben Sie alles wirklich selber geschrieben?«
»Ja!«
»Aber wie?«
»Es ist über mich gekommen.«
»Es ist über Sie gekommen? Wie und wann?«
»Plötzlich. Und oft. Im übrigen kommt es noch immer.«
»So ist das also ... so sind Sie also ... tatsächlich?!«
Er zuckte die Achseln.
»Was habe ich denn gesagt?«
»Und dieses Tagebuch wäre ...«
Er klappte es zu. »Ja. Aber wenn Sie nichts dagegen haben, vertagen wir uns auf morgen.«

ICH WEISS nicht, Professor, ob Sie mir meine Aufregung nachfühlen können. Was sage ich Aufregung? Nein: meine Euphorie! Die ganze Fahrt zurück zum Hotel spürte ich mein Blut im Kopf pochen. Und auch währendder Nacht kam es nicht zur Ruhe, so daß ich nur wenig schlief und viel im Zimmer auf und ab lief. Am folgenden Tag war mein Zustand noch immer derselbe. Mein Kreislauf raste und meine Armbanduhr ging mir zu langsam. Verabredet waren wir, wie gestern, um vier. Aber heute konnte ichs kaum erwarten.

Nun hatte Kowalsky wirklich erreicht, was er wollte. Meine rationalen Einwände, mein skeptischer Widerstand gegen seine Behauptung, der reinkarnierte Hoffmann zu sein, beides war weit in meinen Hinterkopf zurückgedrängt durch die sich an meiner Großhirnrinde fixierende Idee, tatsächlich eine germanistische Sensation vor der Nase zu haben. Sogar das Unbehagen infolge des nach wie vor unaufgeklärten nächtlichen Abenteuers, der Ärger wegen des abhanden gekommenen Identitätsnachweises und die Empörung über die letztendliche Unzumutbarkeit der mit dieser ganzen delikaten Affäre zusammenhängenden Gefühlsverwirrung ließ nach. Und wenn ich damit auch zum Narren gehalten oder gemacht worden war: ich würde dafür Einblick in jenes, obschon auf ungewöhnliche Weise zustandegekommene Tagebuch erhalten, und das stand eindeutig dafür.

Aber ich freute mich, wie sich erwies, zu früh.

Als ich um dreiviertelvier zu Kowalsky kam, erwartete er mich zwar schon, aber nicht im nachtblauen Nankingschlafrock, an den ich mich inzwischen gewöhnt hatte, sondern sozusagen zivil angezogen. Auf meine Frage, ob er auszugehen beabsichtige, nahm er mich um die Schulter. Und komplimentierte mich aus der Wohnung: »Nicht ich, sondern *wir.*«

»Wir haben nämlich«, sagte er lächelnd, »eine Besorgung zu machen.« Das heißt, ich glaube, daß er bei diesen Worten lächelte, denn im Dunkel des Stiegenhauses konnte ich seinen Gesichtsausdruck nicht erkennen.

»Was für eine Besorgung?« wollte ich wissen.

»Nun«, sagte er, »es wird für unsere gemeinsame Arbeit von entscheidendem Vorteil sein, wenn Sie ein Tonbandgerät kaufen.

Unmöglich kann ich Ihnen«, fuhr er auf der Straße fort, »aus jenen der Wissenschaft bisher unbekannten Tagebuchpassagen vorlesen oder Sie gar einfach selbst blättern lassen in diesen höchst bemerkenswerten Aufzeichnungen, ohne Ihnen vorher einiges aus meinem Leben (ich meine mein *erstes* Leben) erzählt zu haben, das Sie zwar vielleicht kennen oder zu kennen glauben, aber nicht so kennen, wie Sie es meines Erachtens kennen sollten. Und diese Erzählungen, Statements et cetera werden Sie die Güte haben, elektromagnetisch aufzunehmen. Na, sehen Sie mich nicht so an! Sie werden doch genug Geld bei sich haben, um sich ein so kleines Gerät leisten zu können? Die Wissenschaft wirds Ihnen danken, mein lieber Kreisler!«

Ach Professor! Ich habe Ihnen schon wiederholt von der suggestiven Wirkung geschrieben, die dieser Mann auf mich ausübte. Sobald ich sie spürte, stieß mir ein bitterer Groll auf. Umso mehr, wenn ich bemerkte, daß er mich, wie jetzt, im Bewußtsein dieser Wirkung neckte (es hatte zu schneien begonnen, und ein paar Flocken in seinen

Brauen ließen den ohnehin spöttischen Blick noch spöttischer wirken). Doch wußte ich seiner Kraft nichts entgegenzusetzen. Nun hatte er mich genauso, wie er mich brauchte. *Er* würde erzählen, *ich* würde ihm zuhören, und diese Art von Beziehung war durch den Kauf eines extra zu ihrer Dokumentation bestimmten Rekorders zu besiegeln. Ich hatte nicht nur Zeit und Energie, sondern auch Geld in meine Abhängigkeit zu investieren. Sein Mitteilungs- und Geltungsbedürfnis würde triumphieren, ob er nun tatsächlich der wiedergeborene Hoffmann war oder nicht.

Daß er es *war* oder *sein wollte*, daran versuchte er durch sein Benehmen beim Kauf des Tonbandgeräts aufs neue zu erinnern. »Unglaublich«, rief er, vor einem Drehständer mit klassischen Langspielplatten stehend, »Unglaublich!« und sämtliche Fältchen und Fibern seines Gesichts gerieten in wilde Bewegung. »Sehn Sie nur, Kreisler: Gluck, Händel, Bach, Vivaldi, Haydn und Mozart ganz einfach auf Plastikscheiben gepreßt! Ein Wunder! Man kann die Musik ganz einfach nach Hause tragen! – Wissen Sie, Bester, wissen Sie, was das heißt? Also das ist, so kritisch ich diesem Begriff sonst gegenüberstehe, ein wirklicher Fortschritt! Wenn Sie bedenken, wie froh unsereins damals war, nur den Klavierauszug einer neuen Oper zu bekommen, oder wie weit wir zuweilen gereist sind, nur um ein einziges Konzert zu hören! Die Menschen von heute wissen das gar nicht zu schätzen!«

Die Verkäuferin sah ihn mißtrauisch an.

»Wissen Sie«, sagte er, aber jetzt blitzte, trotz allem Pathos, in seinen Augen wieder der Schalk auf, »wissen Sie, was Sie hier hüten, Fräulein? – Sie wissen es nicht! – Seelennahrung aus dem Reich des Unendlichen! Allerdings in Konservendosen.«

IN DEN folgenden Tagen schleifte Kowalsky mich kreuz und quer durch Berlin. »Wir können doch«, sagte er, »auch im Gehen reden, im Gehen fällt mir mehr ein.« Meinem immer aufs neue, immer hoffnungsloser geäußerten Vorschlag, doch wieder einmal beim Tee sitzen zu bleiben und auf das Tagebuchmanuskript zurück zu kommen, wich er aus. »Jaja«, sagte er meist, in Gedanken gewissermaßen schon aufgebrochen, »das machen wir demnächst.«

Ehrlich gesagt folgte ich ihm rein physisch nur widerwillig. In meiner Erinnerung an diese oft endlosen Märsche zu zweit herrscht ein ewiges Halbdunkel und der stets aus der Gegenrichtung wehende Schnee zwingt mich, die Augen zu verkneifen. Wenn ich die Handschuhe ausziehe, um die Kassette im über die Schulter gehängten Tonbandgerät zu wechseln, friert mich an den Fingern. Und Hoffmann wartet nicht, sondern geht ständig weiter und redet ohne Pause.

Auch daß ich ihm geistig-seelisch gutwillig folgte, kann ich nicht sagen. Ich fühlte mich, wie erwähnt, genötigt und doch – Ich konnte nicht einfach abschalten (nicht nur das Tonband). Manchmal buchstäblich in seiner Spur hinter ihm her laufend, manchmal neben ihm her gehend, kam ich ihm sehr nah.

Nicht immer leicht fiel es mir, ihn zu verstehen. Keineswegs bloß sinngemäß, sondern, vor allem, wenn wir in verkehrsreichere Gegenden kamen, auch rein akustisch. Auf den Tonbändern sind dann oft nur Straßengeräusche. Solche Stellen habe ich aus dem Gedächtnis ergänzt – ansonsten jedoch will ich ›Hoffmanns Erzählungen‹ möglichst so wiedergeben, wie sie erzählt wurden.

»ICH«, SAGTE Kowalsky, »ich: erinnere: mich. Und tatsächlich ist es nicht leicht, sich zu erinnern, sich seiner selbst zu erinnern, viel eher vergißt man sich. Zumindest vegißt man sich in einem einzigen Leben. Da kann der Rückblick aus einem zweiten schon zweckdienlich sein... Sie schauen so skeptisch. Sie denken womöglich, ich träume. Aber sehn Sie, ich träume mich zurück in meine ehemalige Möglichkeit. Und vielleicht sollten wir uns, wenn wir uns in der Vergangenheit erkannt haben, auch vorwärts träumen. Gemeinsam: Sie und ich, Kreisler: in unsere zukünftige Wirklichkeit: Sie und ich und wir.

Aber eins nach dem andern: sich seiner bewußt werden, ist ein Anfang. – Was sehe ich, wenn ich so weit als möglich zurück phantasiere? – Ich liege krank. – Ich, ein Kind von vier oder fünf Jahren, der kleine Ernst. – Krank bin ich, luftdicht verpackt, und kann mich nicht rühren. – Das finde ich schrecklich, mich nicht rühren zu können. Davor werde ich mein ganzes Leben Angst haben – panische Angst. Die Füße können sich nicht bewegen, sie stecken in essiggetränkten Lappen. Und auch die Arme müssen unter dem Federbett bleiben. Von meinen Fersen aufwärts läuft ein Strom von Ungeduld. Kniekehlen, Oberschenkel, Kreuz: hier ist der Sitz des Widerstands. Allerdings auch der Sitz der Erschöpfung, der Resignation. Ich bäume mich auf, aber es ist sinnlos: als ob auf mir ein Stein läge. – Mir steht der Schweiß auf der Stirn, aber nicht nur vor Hitze. Über mir hängt die Decke des Zimmers: grau. Sie ist hoch, diese Decke, und trotzdem zu niedrig. Etwas aus mir, das empor will, stößt sich an ihr. Ja. Es hat keinen Sinn. Ich hol es zurück. Und schlie-

ße die Augen. Und lausche der Pendeluhr. Das heißt: es bleibt mir nichts übrig, als ihr zu lauschen. Ich bin ganz allein mit ihr. Und allein mit mir.
Das ist die eine Erinnerung, ja, aber da ist auch eine andere. – Ich liege noch immer krank, aber am Bettrand sitzt Tante Sophie, und ich weiß, sie ist mein Schutzengel. Zwar hat sie keine Flügel und ist wohl schon etwas über das Alter, in dem ich mir Engel vorgestellt habe, hinaus. Aber sie flößt mir mit einem Löffel Kamillenthee ein und singt mir dazu mit einer wirklich jungfräulich gebliebenen Stimme. Und wie sie so singt (jetzt legt sie den Löffel weg und greift zur Laute...), da schwebt, was sich zuerst an der Decke gestoßen hat, ganz einfach zum Fenster hinaus, und draußen ist der Garten. Und unerachtet wir Winter haben, steht die Wiese voll duftender Kamillen und der Apfelbaum blüht weiß gegen den sehr blauen Himmel. Und am Ende des Gartens, da ist zwar eine Mauer, aber dahinter ist ein Mädchenpensionat. Und die unsichtbaren Mädchen spielen, ahne ich, mit Reifen und lachen.

Das war, wie Sie wissen, Kreisler, in Königsberg. Königsberg: ich stellte mir das zuweilen bildlich romantisch vor, aber in unserer Stadt gab es weder Berg noch König. Ein König zwar war, erzählte die Großmutter – schattenhaft habe ich sie in Erinnerung, immer in Decken gehüllt in verdunkelten Räumen sitzend – also ein König war zwar einmal dagewesen und hatte sich in der Schloßkirche selbst eine Krone aufs Haupt gestülpt, doch das war lang her. Danach war der König nach Berlin gegangen, um zu regieren – eine Tätigkeit, die, wie ich mir ausmalte, darin bestand, fortwährend auf dem Thron zu sitzen, ein Zepter in der Hand zu halten und, wie die Alte kichernd ergänzte, Soldaten in Zucht zu halten (ich hatte ein paar davon, aber die waren aus Zinn und standen ohnehin nur gerade), darüber jedoch, vielleicht, weil er die schlappen Kerle höchst persönlich prügeln mußte – ein Rutenstreich, sagte die Großmutter, dünnstimmig, boshaft, ein Rutenstreich zur rechten Zeit hat noch keinem geschadet –, hatte er sich verausgabt und war gestorben. Und nun saß sein Sohn auf dem Thron, der hieß zwar Fritz, aber war inzwischen auch schon ein alter, gichtiger Mann und ganz anders, als die Könige in meinem Bilderbuch.

Ebensowenig anwesend wie der König war übrigens Gott, der auch eine Autorität war. Manchmal hieß es, er sei unser geistiger Vater, doch Väter waren, wie ich von früh an wußte, mehr ab- als anwesend. Trotzdem hatte man ihm Reverenz zu erweisen, vor allem sonntags im ernsten Münster, wohin wir, meistens bei Schlechtwetter, streng gekleidet zu gehen hatten, weil wir anständig waren und wollten, daß es uns wohlergehe auf Erden. Von meinem leiblichen Vater war wesentlich weniger die Rede und wenn, dann auch wesentlich weniger ehrfürchtig.

Manchmal, wenn ich in ihr Zimmer geführt wurde, brach meine Mutter, derer ich mich kaum entsinne (nur einer Haltung: gebeugt, nur metaphorisch: dahinwelkend...) in Tränen aus. Das hing, wie ich dunkel begriff, mit meinem Vater zusammen, dessen Absenz, zum Unterschied von anderen Absenzen, nicht akzeptiert wurde. »Ach

Kind, was hat dein Vater mir angetan?« Das klang wie ein Vorwurf. Ich fühlte mich unschuldig-schuldig.
Was sollte, was konnte ich tun? Ich barg meinen Kopf in ihrem Schoß. Aber ich fühlte mich dort nicht geborgen, verstehn Sie? Das war eher ein immer wieder unternommener Versuch, mich zu verkriechen. Mich versöhnlich rückgängig zu machen. Am besten zu verschwinden.
Aber natürlich war der Versuch vergebens. Meine Mutter war nicht offen für mich. Ihrer Kleider erinnere ich mich als rauh, ihrer Hände als kalt. Und so sehr ich mich auch anstrenge: ich sehe ihr Gesicht nicht.

»Und dabei«, sagte Hoffmann (ich meine, Kowalsky), »bin ich ansonsten ein eher eidetischer Revivant. Den Onkel Otto zum Beispiel, meinen sogenannten Erziehungsberechtigten, könnte ich Ihnen jederzeit aufzeichnen.« (Das tat er. Um uns zu wärmen, waren wir in ein Lokal getreten). »Sehn Sie sich, Kreisler, nur diese Witzfigur an!«
Die Karikatur, die er rasch auf eine Papierserviette hinwarf, in kurzen, nervösen Kugelschreiberstrichen, war – und ich muß sagen, das überraschte mich nicht mehr – gekonnt. Hatte er also auch dieses Talent von einem Leben ins andere mitgenommen! »Seit wann« – wollte ich eine diesbezügliche Frage stellen, aber er ließ mich, nun einmal in Fahrt gekommen, nicht ausreden. »Darf ich vorstellen? Der Dicke Sir. Sir Ott von den beschissenen Unterhosen!
So hab ich ihn allerdings«, fuhr er fort, »erst später genannt. Nach Lektüre von Lawrence Sternes Tristram Shandy. Da hatte ich schon das Talent entwickelt, zu la-

chen. Über das, was mich ängstigte, über das, was ich haßte – aber zuvor, in diesem illiteraten Alter…«
Er war jetzt sehr ernst geworden und trank sehr schnell. »Wissen Sie, wie ich diesen Mann gefürchtet, wie ich mich vor ihm – ja – richtiggehend geekelt habe? Sein plattfüßiger Schritt auf dem Korridor, die Art, wie er sich, ganz einfach, so kam mir vor, um seine unangenehme Allgegenwart zu manifestieren, in regelmäßigen Abständen, ich schätze so ungefähr alle halben Minuten, räusperte. Von der Seite gesehn: seine bäuchlings geradezu schamlos gerundete Silhouette im Lehnstuhl. Von vorne: die schiefe, lächerliche Grimasse, die er beim Aufziehen seiner Schnupftabakprise schnitt. Und vor allem seine – wie nenn ich es bloß? – seine vegetabile Ausdünstung. Ja, dieser Mann vegetierte, der Ausdruck trifft zu. Aber er vegetierte reglementiert. Der Mensch, war sein Wahlspruch, der Mensch braucht Ordnung und Einteilung – also lebte er nach Stundenplan. Lebte nach Stundenplan und verlangte das auch von den subalternen (weil weiblichen, kindlichen) Mitbewohnern des Haushalts, welchem er vorstand. Zwischen Schlafen und Essen hatte alles (und sei es nichts) den Zeigern der Repetieruhr zu folgen, die er am Wanst trug. Er war, wie Sie wissen, Kreisler, Justizrat a. D. Im Zuge der Justizreform aus der staatlichen Verwaltung eliminiert, drangsalierte er wenigstens die Familie mit seinen von der Obrigkeit verschmähten Fähigkeiten.
Mir Knirps gab der Onkel den ersten Musikunterricht. Da hatten die Finger über die Tasten des Cembalo zu marschieren wie die Garde auf dem Domplatz. Ordnung und Einteilung – auch wenn man das akustische Ergebnis

dieses Exerzierens nur als eine etwas subtilere Form der Verdauungshilfe auffaßte. Daß mir Musik dabei nicht ebenso verhaßt geworden ist wie er, sondern im Gegenteil, innig geliebt, oder genauer: ein Vorklang (vielleicht auch ein Nachklang) von Liebe, ein Medium der Sehnsucht, ist eigentlich ein Wunder.

Aber das hing mit meinem Geheimnis zusammen. Ich hatte nämlich eine Entdeckung gemacht. Immer am Mittwoch hatte der Onkel Besuchstag. Da verließ er das Haus für einige Stunden. Wenn ich da, in seiner Abwesenheit, ans Klavier schlich ... und einfach frei, ohne Zwang, ein paar Töne anschlug ... Töne, die mir alsbald als Farben erschienen ... da konnte ich alles herbeiwünschen, was mir einfiel.

Zum Beispiel lebendig gewordenes Spielzeug: tanzende Puppen. Oder besser: ein Tier, das ich mochte – eine Katze, einen Hund. Oder, noch besser: ein kleines Zigeunermädchen. Oder das Gegenstück meiner selbst: meinen Zwilling. Letzterer machte mir allerdings Angst. Hatte ich ihn einmal herbeigerufen, so konnte ich ihn zuweilen nicht so ohne weiteres wieder loswerden. Die anderen derart durch Töne herbeigehexten Geschöpfe gehorchten meiner Willkür. *Er* widerstand mir, stand mir entgegen, lachte mich aus.«

OPPENER STRASSE – Schlesische Straße – Pfluelstraße. Wrangelstraße – Manteuffelstraße – Waldemarstraße. Prinzessinnenstraße – Oranienstraße – Luckauerstraße. Ritterstraße – Junkerstraße – Markgrafenstraße. Gewisse Wege gingen wir immer wieder. Besonders Sackgassenwege, Umkehrwege. Für solche Wege hatte Kowalsky ein Faible. Immer wieder stießen wir an die Mauer. »Ich bin ja«, sagte er, »eigentlich einer von drüben. Jenseits. Es zieht mich manchmal hinüber, verstehn Sie? Wäre ich ein ordentliches Gespenst, so müßte ich drüben leben. Verschiedene Gegenden besuchen, verschiedene Leute ... aber die sind eben verschieden. »Hier allerdings«, sagte er, »fühl ich mich auch nicht zu Haus.«
Das ist ja das Schlimme, daß mir das weder dort noch hier gelingt. Und mir kommt vor, ich bin nicht allein damit. So bin ich ein unruhiger Geist – sind wir unruhige Geister.

»AN MEINE frühe Schulzeit« (so Hoffmann-Kowalsky) »kann ich mich wenig bis gar nicht erinnern. Ich weiß nur, daß ich von meinem sechsten Lebensjahr an in die reformierte Burgschule ging, ein ernstes, mit seiner grauen Quaderfassade tatsächlich wehrhaft wirkendes Gebäude, in dem ich, meinem inneren Bewegungsdrang zuwider, abwechselnd stramm stehen und still sitzen mußte, den gebührenden Respekt den Lehrern und die geforderte Aufmerksamkeit dem Lehrstoff gegenüber mimend. Die Lehrer (es müssen wohl mehrere gewesen sein) sind als Personen nicht mehr vorhanden, im Fundus meiner Erinnerung stoße ich nur auf verstaubte Perükken, Bratenröcke und Kniebundhosen, die eventuell auch auf andere Marionetten dieser Zeit passen. Und was den Lehrstoff betrifft, so entsinne ich mich v. a. der uns mit besonderem Nachdruck vermittelten Erklärung der deutschen Groß- und Kleinschreibung, dergestalt daß die Großen Anfangsbuchstaben die Junker, die hintanstehenden kleinen hingegen die Bauern seien – mit einem Wort, da war die Welt noch in Ordnung.
Besonders sinnlich präsent ist mir nur der Geruch dieser Schule. Das ist« – hier rümpfte er angeekelt die Nase – »ein typischer Schulgeruch. Sehn Sie, ich habe ja später, ich meine, in *diesem* Leben, als Repetent sozusagen, noch ein paar Schulen besucht. Und habe feststellen müssen: die rochen genauso. Man bringt diesen Mief nicht so leicht aus den Schulen heraus. Auch wenn man (wie damals in Königsberg) häufig lüftet. Ein säuerliches Aroma von Krampf und Angst. Selbst in neu erbauten Schulhäusern setzt es sich, meiner Erfahrung nach, binnen kurzem fest.

Außerdem spüre ich, wenn ich mir jene erste Schulzeit zu vergegenwärtigen versuche, erneut diese schon beschriebene, sozusagen physische Ungeduld. Beim Sitzen in der Schulbank kribbelt sie vor allem in den Beinen – die wollen besonders während der Rechenstunden auf und davon. Mein Wackeltick (ja der muß endlich beim Namen genannt werden!) ging in der Schule von den Beinen aus. Die Knie wackelten fortwährend voneinander weg und aufeinander zu, was meine diversen Sitznachbarn nervös und aggressiv machte.
Zuhause verschanzte ich mich, sobald ich zu lesen verstand, hinter Büchern. Oder ich träumte allein im Garten, mit offenen Augen. Da war ich nicht leicht hervorzulocken, zu wecken. Nur wenn die Tante mich rief, kam ich willig, ja gern. ›Ernstchen, sagte sie manchmal, Ernstchen, was hast du? Haben wir dir einen schlechten Namen gegeben? Kannst du am Ende nicht lustig sein, weil du so heißt?‹ Und dabei lachte sie so, daß auch ich lachen mußte.
Tatsächlich war sie die einzige in der Familie, die Humor hatte. Und wenn sich *mein* Humor, so problematisch und, wie Sie wissen, widersprüchlich er schließlich auch geflattert ist, überhaupt zu entpuppen imstande war, so danke ich das zu einem nicht unerheblichen Anteil ihr. Allerdings war ihre Heiterkeit, wenn ich sie recht verstanden habe, ganz einfach Position. Meine war häufig Negation: schon von Anfang an.
Ich erinnere mich an ein Hauskonzert. Hauskonzerte hatten wir jeden Freitag. Da kamen ein paar seriöse, stocksteife Bekannte des Onkels (der Stadtarchivar, der Kammergerichtsrat, samt Gattinnen und Töchtern),

packten ihre Instrumente aus und ließen es sich angelegen sein, den Abend lang gemeinsam mit dem Dicken Sir und der jüngferlichen Tante, die, das habe ich schon erwähnt, immerhin eine hübsche Stimme hatte, Werke der größten Meister im ihnen entsprechenden, sehr kleinen Rahmen zu reproduzieren. Nun spielten sie bei Kerzenlicht, und die verzerrten Schatten der Biedermänner und Biederfrauen an den nach oben in endloses Dunkel wachsenden Wänden erregten schon früh (über den, wenn auch begrenzten, akustischen Genuß hinaus) mein Interesse. Die Schatten waren gewissermaßen die Parodien der Wirklichkeit oder die Wirklichkeit (glatzköpfig, flachbusig, schafsnäsig, hängeärschig) war schon die Parodie, und die Schatten umrissen das lediglich schärfer. Zuweilen jedoch, da brachten die Schatten mich auch auf andere Gedanken. Dann spielte ich, ohne bis dahin von meinem Vorläufer in Schattengleichnissen, dem alten Platon, mehr als den Namen gehört zu haben, mit Gedankenspielzeug höherer Art. Vielleicht, dachte ich dann, ist es so, daß nur ich bin, der kleine Gott Hoffmann, und die anderen sind bloß Schattengespenster? War der Gedanke an sich schon sehr reizvoll, so war der draus folgende aufgeladen mit einer Versuchung. Eines Abends – und das war die erste Konfrontation meiner Art von Humor mit der Welt – konnte ich diese Spannung nicht mehr länger aushalten, dieser Versuchung nicht mehr länger widerstehn und fing an, die Kerzen auszublasen. Man ließ mich, wie Sie sich denken können, nicht damit zu Ende kommen, der Onkel verabreichte mir eine ins bis zu diesem Zeitpunkt immerhin erblasene Halb- oder Dreivierteldunkel schallende Ohrfeige.

Nur das Tantchen lachte ein kontrapunktisches Lachen. Und dann, mit acht oder neun, begann ich zu lügen. Ohne ersichtlichen Grund und aus purer Lust erzählte ich, meinte der Oheim, Lügengeschichten. Von Besuchern an der Tür über im Haus anwesende Personen befragt, sagte ich, sie seien nicht da. Anderseits berichtete ich über in Abwesenheit des Onkels angeblich aufgetauchte Freunde und Verwandte. Besonders verärgert war man über Erzählungen, meinen Vater betreffend. Er sei, fabulierte ich etwa, bei einem alchimistischen Experiment ums Leben gekommen. Oder mit einem Schiff übers Meer gefahren, um Schätze zu suchen. Oder nach Italien zurückgekehrt, denn in Wahrheit sei er ein florentinischer Conte. Der Oheim gab mir deswegen Stubenarrest. Auch hatte er meinethalben ein langes und ernstes Gespräch mit dem Pastor. Der redete anschließend salbungsvoll auf mich ein. Erfolglos. Ich wußte oft selbst nicht, was wahr und was falsch war.
Was nun Theo, ich meine Hippel betrifft, so kommt mir in Zusammenhang mit ihm zuallererst ein gemeinsamer Schulweg in den Sinn. Er geht, etwas größer als ich, neben mir her, ich erzähle ihm einen Ritterroman, den gelesen zu haben ich vorgebe, aber tatsächlich erfinde ich frei, indem ich erzähle. Von Zeit zu Zeit schaue ich ihn von unten herauf an, ein kurzer, listiger Blick, um zu prüfen, ob er vielleicht Argwohn schöpft, aber sein Ausdruck ist arglos. Gutgläubig, gutmütig wirkt er, etwas zu weichlich, nicht bloß im Gesicht, nein, bis ans Herz hinan, und selbst, falls er mir nicht glauben sollte, würde er mich das nicht merken lassen, um mich nicht zu kränken.

Der also war geeignet, mein Freund zu werden. – ›Wie schön ist doch Freundschaft‹, schrieb ich einige Jahre später. ›Haben wir den gefunden, der uns versteht, in dessen Brust wir mit Entzücken gleiche Gefühle, in dessen Kopf wir eigne Ideen ausspähen, der mit geläutertem Sinn für Tugend und Schönheit mit uns den Blumenpfad oder den dornigen Weg, den wir wandeln, betritt, wie so ganz anders malt sich uns dann die Welt. Und unser Selbst (so in etwa ...) wird uns erst wert... Ja, mein Theodor, beide wären wir nicht das, was wir sind, wenn nicht das Schicksal unsre gleichgestimmten Herzen vereinigt hätte. Ehe die Geburtsstunde unsrer Freundschaft schlug, habe ich recht erbärmlich in meiner Klause gelebt. Mein Geist war ein Gefangener, den man eingesperrt hatte und unaufhörlich bewachte. Jetzt erst wird Freiheit ihm inne (oder so ähnlich).‹«

Kowalsky grinste. »Was starren Sie mich so an? – Haben Sie etwas dagegen, wenn ich zitiere? Ich meine: Hoffmannn zitiere, also mich selbst? – Nun, wie Sie wissen, hab ich eine historisch kritische Gesamtausgabe! – Aber zurück ins Leben! Weg vom Papier! Tatsächlich war mir die Freundschaft mit Hippel recht wichtig. Ich zeichnete uns als Kastor und Pollux, je einen Stern über dem Kopf, zwei gleichklingende Seelen. Doch mit dem Gleichklang war es, zumindest, wenn man auch die Unter- und Obertöne unserer Lebensmelodien herauszuhören imstande ist, nicht allzuweit her. Sicher, es stimmt, daß Theo ein guter Zuhörer war. Und daß er mich, sobald ich mich ihm als Dichter entdeckte, der jene Rittergeschichten selber erfand, bewunderte und bis ans Ende meiner damaligen Tage nicht damit aufhörte. Aber was er *an mir* be-

wunderte, war genau das, was *er* nicht hatte. Während es umgekehrt wirklich so war, daß ich in *seinem* Kopf zuallererst *meine* eigenen Ideen ausspähte – der Rest war eher langweilig.
Da er ein besserer Schüler war als ich, ergab sich die Möglichkeit, ihn unter dem Vorwand gemeinsamen Repetierens ins Dörffersche Haus einzuladen, aus dem man mich, außer zur Schule, nur selten entließ. Schlau, wie ich war, wußte ich diese ›Nachhülfestunden‹ so einzurichten, daß sie sich möglichst mit den schon erwähnten wöchentlichen Ausgängen Sir Otts deckten. Wenn ich dann vorschlug, einige Züge aus dem im Salon zurückgelassenen Tschibuk des Onkels zu rauchen oder, vom Garten aus durchs Fenster, die Tante zu beobachten, wie sie (wozu sie ebenfalls die Abwesenheit des Onkels nutzte), im bloßen Unterhemd vor dem Toilettespiegel stehend, ihren nie voll auf- und doch schon wieder abgeblühten Altmädchenleib, an dem sich sonst niemand erfreute, betrachtete, in rührend-melancholischer Selbstverliebtheit sich drehend und wendend, blies Theo meist vorzeitig zum Rückzug. Kaum hatte er an der Pfeife gezogen, wurde ihm schlecht, kaum hatten wir uns wandentlang bis zum Schlafzimmer vorgepirscht, mußte er niesen, und es war ihm nicht zu blöd, selbst in den dazu ungeeignetsten Augenblicken darauf hinzuweisen, daß wir ja, wenn er schon da sei, wirklich ein paar Sätze Latein oder Griechisch übersetzen könnten bzw. sollten.

Da war der Meister Podbielsky von anderem Schlag. Zwar war er ein halbes Jahrhundert älter als Hippel, aber unangepaßt bis in die alten Knochen. Als ich ihn das erste

Mal sah (ein Notenbuch unter dem Arm, zum Dom eilend oder genauer: hüpfend – es hatte geregnet, und statt, wie ein ehrbarer Bürger, den Pfützen auszuweichen, versuchte er, sie zu überspringen, was er indessen nicht immer ganz schaffte, so daß er sich Schuhe und Strümpfe mit schmutzigem Wasser bespritzte, aber das schien ihm nichts auszumachen, im Gegenteil, denn er kicherte, fast, als ob es ihn kitzle), als ich Podbielsky also zum ersten Mal sah, erschien er mir nur als ein komischer, etwas peinlicher Kauz, von dem der Oheim aus unerfindlichen Gründen mit Achtung redete. Und in der Kirche fiel es mir schwer, zu glauben, daß diese lächerliche, bizarre Figur an der Orgel sitzend Töne von so erhabenem Ernst hervorbrachte. Als er mir dann eines Tages als mein neuer Klavierlehrer vorgestellt wurde, war ich folglich ziemlich skeptisch. ›Ich habe Euch, Meister, hergebeten‹, sagte Sir Ott, ›damit Ihr meinen Neffen hier, dem ich die Grundbegriffe der musikalischen Kunst bisher, so weit ichs vermag, selbst beigebracht habe, auf diesem Gebiet etwas weiter führt.‹ – ›Aha, aha!‹ gluckste darauf Podbielsky, sich ununterbrochen verbeugend (seine Kratzfüße waren derart, daß man, hatte man sie einmal gesehn, schwerlich mehr Devotationen ähnlicher Art ernst nehmen konnte, das heißt, sie hatten Methode, doch das begriff ich erst später) ›geehrt, geehrt!‹ – ›Wenn er nicht hinspurt‹, ergänzte der Onkel, ›so gebt ihm getrost eins hinter die Löffel – er neigt, das sag ich Euch gleich, in letzter Zeit zu einer gewissen Renitenz!‹

Mit diesen Worten schloß er die Tür hinter sich. Und dann (die entsprechende Meister-Abraham-Stelle aus dem ›Kater Murr‹ ist also keineswegs aus der Luft gegriffen), tat dieser Gnom einen für sein Alter unglaublichen Satz ans Klavier, riß den Deckel auf und drosch mit Händen und Fäusten in die Tasten. Erst stand ich heillos erschrocken, dann war ich drauf und dran, aus dem Zimmer zu rennen, aber da kam schon (ebenfalls sichtlich verstört) der Oheim zurück. ›Halten zu Gnaden‹, sagte Podbielsky verbindlich lächelnd in die nunmehr laut wirkende Stille, ›halten zu Gnaden, Monsieur Kammergerichtsrat, aber ich wollte Eurem Neffen zur Einleitung bloß demonstrieren, daß Musik in erster Linie Lärm ist!‹ ›Komm her‹, raunte er dann, als sich der Onkel kopfschüttelnd wieder entfernt hatte, diesmal die Tür wohlweislich offen lassend, und winkte mich mit der Rechten zu sich, während er mit der Linken phantasierte. ›Hörst du? Was ich jetzt mache, ist kein Lärm, sondern Klang – den wollen wir erzielen. Im übrigen (das flüsterte er mir ins Ohr) – was die von deinem famosen Onkel erwähnte Renitenz angeht… Wenn es eine Eigenschaft gibt, die du dir erhalten und möglichst weiter entwickeln sollst, dann ist es diese!‹

Etwas aus meiner frühen Kindheit muß ich, obwohl ich es gerne vergessen hätte, ergänzen. Nur immer noch innerlich schaudernd vergegenwärtige ich mir die Schreie der Frau Werner. Ausgerechnet an sie hatte der Onkel, dessen Mittel, was er allerdings ungern zugab, kaum zur Erhaltung eines standesgemäßen Lebensstils ausreichten, das obere Stockwerk des Dörfferschen Hauses vermietet. Und von dorther gellten die Schreie fast jeden Sonntagmittag. Bezeichnend wie meine Familie das ignorierte. Man sprach nicht darüber, also gab man auch vor, nichts zu hören. Man löffelte Suppe, gabelte Braten, man kaute. Man unterhielt sich mit absurd gedämpften Stimmen über Belangloses. Nur manchmal verlor meine arme Mutter die Fassung. Dann geriet ihr kleines Kinn ins Zittern, und alsbald rannen ihr Tränen die Wangen hinab in den Teller. Das aber brachte den Oheim gegen sie auf. ›Schockschwerenot!‹ pflegte er dann zu fluchen, sprang auf und verließ die Tafel, ohne zu Ende gegessen zu haben.

Nur einmal durchbrach die Tante dieses Verschweigen. Nach dem Essen und nachdem die Schreie nachgelassen hatten, nahm sie mich beiseite. ›Weißt du, Ernstchen, die Frau Werner ist krank. Nicht krank am Körper, aber krank an der Seele, verstehst du?‹ – ›Ja, Tante‹, log ich. Oder log ich das nicht? Krankheit der Seele. Das irritierte mich. Wie sah das aus? Wie bekam man das? War ich gefährdet? Ich wollte, ich mußte das in Erfahrung bringen.

Und eines Sonntags, da will ich es einfach wissen. Das ist noch vor dem Essen, und als ich, behutsam, behutsam, die leise knarrende Treppe zum Oberstock hinter mich gebracht habe, finde ich mich in einem bisher nie betretenen Korridor. Die Sonnenstrahlen fallen schräg durch ein Fenster, das, zum Unterschied von denen im Parterre, nicht blank geputzt, sondern von Monate oder gar Jahre altem Staub wie beschlagen scheint, und wenige Schritte weiter ist eine Tür, die steht einen Spalt breit offen. Ich gehe auf die Tür zu und spähe hinein, und da drin liegt, auf einem zerwühlten Bett, eine Frau, die grauen, verschwitzten Haare wirr im Gesicht, die Arme wie zur Kreuzigung ausgebreitet, die Beine ebenso breit- wie hochgewinkelt, und nur unzureichend mit einem, wie

mir voll Schrecken bewußt wird, blutigen Leintuch bedeckt. Am Bettrand sitzt ein sehr blasser, sehr dünner, rotäugiger Junge, etwa fünf Jahre älter als ich, und liest laut aus der Bibel. ›Siehe, die Jungfrau‹, liest er, ›wird einen Sohn gebären, des Name wird Immanuel heißen.‹ Und dann, als er mich bemerkt, nickt er mir zu, streckt mir die Hand entgegen und will, daß ich sie küsse. ›Ich heiße zwar Zacharias‹, sagt er, ›aber ich bin Immanuel. – Jeweils am Tage des Herrn muß meine Mutter mich, ihren Sohn, aufs neue gebären, aber ich bin schon von Anfang an da, das ist ein großes Mysterium!‹ Und genau in diesem Moment beginnen die Mittagsglocken zu läuten, und die Frau Werner fängt an, sich in Krämpfen zu winden und tierisch zu heulen. Und ich will davonrennen, aber Zacharias springt, die Bibel fallen lassend, auf, und packt mich bei den Schultern. ›Daß du es ja nicht‹, zischt er, ›den anderen sagst!‹
Ich habe das damals wirklich niemand erzählt. Auch Hippel erst Jahre danach, und nie im Detail. Frau Werner habe ich nie mehr gesehen – nur weiter gehört. Vor ihrem Sohn aber, der später manchmal in den Garten kam, Löwenzahnkränze flocht und damit geschmückt, die Nase himmelwärts gerichtet, umherstolzierte, hatte ich lange eine heillose Scheu.«

Während dieser Passagen hatten sich Hoffmanns Schritte verlangsamt. Und nun stand er still, an eine Hauswand gelehnt. Nur seine Hände, am Ende der hängenden Arme, bewegten sich ständig. So, als versuchten sie, einen Krampf zu lockern. Das schien ihm jedoch nicht zu glükken, im Gegenteil. Auf seine Stirn traten Schweißtropfen, trotz der Kälte. Er suchte ein Taschentuch, fand keins. Ich reichte ihm meins. »Entschuldigung«, sagte er, »das geht gleich vorbei.

Wissen Sie«, sagte er dann im Weitergehn, »vielleicht ist es besser, manche Geschichten ruhen zu lassen. Und manche Themenkomplexe nicht zu berühren. Den Wahnsinn zum Beispiel. Den habe ich immer gefürchtet. – Ja, ich hab viel darüber geschrieben, das stimmt. Aber das waren Beschwörungs- und Bannungsversuche. Tatsächlich hab ich mich immer gefährdet gefühlt. Ich hatte sozusagen Talent zum Wahnsinn.«

Hier, Professor, zuckte ich wohl zusammen. Denn Hoffmann nahm mich kollegial um die Schulter. »Ja, lieber Kreisler, ich weiß, das betrifft Sie auch. D'accord! Ich will lieber was Amüsantes erzählen.«

Mit diesen Worten geriet sein während der letzten Minuten erschreckend erstarrtes Gesicht wieder in jene Bewegung, die gewissermaßen unter der Haut beginnend, *den Geist der Ironie ankündigte.* »Ja, etwas Amüsantes, etwas von Liebe! Allmählich wurden wir Jünglinge, Hippel und ich. Schossen (er mehr, ich weniger) hoch auf, bekamen Flaum an den Oberlippen, gerieten in den Stimmbruch... Und dann, nach viel gemeinsamer Theorie (Lektüre und hitzige Diskussion verbotener Liebesromane) und einer ebenso komischen, wie dennoch aufregenden Experimentierphase – wir versuchten einander zu küssen; Theo, der das in seinen ›Erinnerungen‹ wohlweislich vergißt, bevorzugte, kokett mit wallenden Tüchern drapiert, den weiblichen Part, entzog sich derart verlockend, daß mir, in Verfolgung meines Ziels, tatsächlich das Blut zu Kopf stieg, aber das war eine vorübergehende Anwandlung – dann war es soweit. Dann kreuzte ein Weibchen unsern gemeinsamen Schulweg. Exakter: sie kreuzte nicht, sondern ging vor uns her. Was sage ich ging – sie schwebte. (Zum mindesten sprang sie). – Sie besuchte die nahe, französisch reformierte Mädchenschule, hatte lange, bernsteinfarbene Haare, die sie meist in Zöpfe geflochten, manchmal, an exquisiten Tagen, aber auch offen trug, so daß sie weithin leuchteten, und ein zu diesem Leuchten passendes Lachen. Ja, dieses Lachen vor allem bezauberte mich. (Sie erinnern sich, Kreisler, meiner Fieberphantasien bezüglich der hinter der Pensionatsmauer spielenden Mädchen. In ihnen war dieses Lachen vorweg geträumt.) Anderseits fürchtete ich zuweilen, daß es sich, wandte sie aus der Gruppe der sie begleitenden Mädchen schnippisch den Kopf, eher spöttisch auf uns bezog. Oder – noch schlimmer – ganz besonders auf mich. Hippel, so fand ich damals, sah recht gut aus. Zu *meinem* Äußeren hatte ich weniger Zutrauen. Außerdem sah man mir *mein* Engagement eher an. Theo bewahrte sich, getarnt hinter echter oder gespielter Reserve, eine gewisse Unangreifbarkeit. So etwas konnte ich nicht, hab ich nie gekonnt. Jadwiga, so hieß sie, mußte bemerken, was mit mir los war. Auch ging ich weiter, wesentlich weiter, als er. Ich ging, wie er fand, zu weit. Ich rannte ihr nach. Wenn auch in stets respektablem (zu großem) Abstand. Ich folgte ihr bis an die Haustür, in der sie verschwand. So ging das durch Wochen und Monate, ohne Fortschritt. Oder doch nicht? Sie drehte sich öfter um. Ja, sie zeigte mir öfter ihr hübsches Gesichtchen. Bald war ich imstande, es aus dem Gedächtnis zu zeichnen. Das tat ich auch mindestens einige dutzend Male. Theo, obwohl er sich zwei dieser Skizzen schenken ließ, schüttelte den Kopf. Mit der Zeit kühner geworden, machte ich nicht mehr beim Gesicht Halt, sondern ergänzte nach dem Muster der Boticellischen Venus. Also Jadwiga schaumgeboren. Oh göttliche Jadwiga!

Aber so sehr (und wie Hippel, akkurat dieses Bildnis immer aufs neue – und immer aufs neue detailliert – betrachtend, feststellte, so bedenklich-) ich mich ihr in der Phantasie auch näherte, so wenig schaffte ich es in der Realität. Immer häufiger streunte ich zwar im Nahbereich ihrer Wohnung herum, verbarg mich sogar am Abend im Schatten des alten Rathuses, um ihr, falls sie aus dem vis à vis gelegenen Tor treten sollte, wie zufällig zu begegnen. Auch machte ich mir ein Konzept mit einer Liebeserklärung und redete, dieses mein Sprüchlein auswendig lernend, zur Probe einen Baum an. Aber sie war eine wohlbehütete Tochter und ging abends nicht aus.

Und dann begegnete ich ihr, eines Tages von der Tante auf den Markt geschickt, wirklich rein zufällig. Und wie sie mir (es war in einer kleinen, schräg nach dem Marktplatz führenden Gasse, wir hatten offenbar beide den selben Abschneider genommen, ich hin-, sie zurückeilend), wie sie mir da entgegenkam, ein süßes, jedoch, zumindest bildete ich mir das ein, etwas geringschätziges Lächeln auf den Lippen, da kam ich mir mit jedem Schritt, der mich ihr, einem so großen, schönen Mädchen, näherbrachte, um ein Stück kleiner und häßlicher vor. Und als ich ihr so nah war, daß ich sie hätte (und wie oft hatte ich das gewunschträumt) berühren können, da war ich ein

Zwerg wie Klein Zaches. Unwillkürlich begann mein Gesicht zu vibrieren, ich schnitt ihr eine Grimasse, die sie zwar auflachen ließ, aber eher erschrocken als wenigstens belustigt, und ging an ihr vorbei.

»Danach«, sagte Hoffmann, »bin ich ihr ausgewichen. Hab mich zurückgezogen, verschlossen, selbst gegen Theo. Erstmals in meinem Leben hab ich gebüffelt. Wienewsky, der Rektor unserer Schule, war schwer beeindruckt. ›Ihr Neffe‹, sagte er meinem Onkel, ›ist sehr talentiert. Er wird an der hohen Schule gewiß avancieren. Philologie, das wäre etwas für ihn.‹ – Aber Sir Ott war mehr für die Juristerei.«

NEIN, PROFESSOR, daß Sie hierher kommen, wünsche ich nicht! Was ich Ihnen zu sagen habe, schreibe ich Ihnen, und was Kowalsky mir erzählt hat, gebe ich ebenfalls schriftlich wieder, das war unsere Abmachung! Auch auf Ihren als Alternative bezeichneten Vorschlag, Ihnen die Bänder (zumindest die bisher getippten) zu schicken, kann ich nicht eingehen. Ich möchte – das werden Sie vielleicht, trotz Ihres mir durchaus begreiflichen wissenschaftlichen Interesses daran, einsehn – diesen Schatz nicht aus der Hand geben. Vielleicht können wir später einmal, wenn ich getan habe, was ich tun zu müssen glaube, und die Niederschrift dieser, wie Sie mir beipflichten werden, ungewöhnlichen (Auto)Biographie hinter mir liegt, zusammen treffen. Dann können Sie das gesamte Bandmaterial und meinetwegen auch mich einer kritischen Prüfung unterziehen. Doch bis dahin, Professor, Vertrauen gegen Vertrauen! (Was übrigens Ihre Anspielung auf gewisse Ähnlichkeiten zwischen Hoffmanns, ich meine Kowalskys, und meiner Diktion betrifft, so würde ich sagen, daß eine Annäherung meines Stils an den seinen unter den gegebenen Umständen nicht verwunderlich wäre, wenngleich ich, als (Ex)Germanist weiß, was von Stilanalysen zu halten ist, nämlich nichts, aber weiter im Kontext.

»MEIN STUDIUM an der Königsberger Universität«, erzählte Kowalsky weiter, »begann ich wenige Tage nach Ostern. Ich erinnere mich«, sagte er, »vor allem des Kontrasts: draußen, in Arnau, wo wir die Feiertage verbracht hatten, war Frühling gewesen, ein schüchterner, bläßlicher Frühling zwar, aber immerhin, man neigte damals auch in unseren engen Verhältnissen zu der hübschen Vorstellung, daß einem deshalb das Herz im Busen weit würde. Drinnen in jenem angeblich ehrwürdigen Gemäuer jedoch blieben die frühlingshaften Lüfte und Düfte ausgesperrt, was sollte man da mit einem erweiterten Herzen anfangen. Was die sogenannte Wissenschaft betraf, mit der ich mein Hirn die nächsten paar Jahre strapazieren sollte, so hatte ich mir ohnehin keine Illusionen gemacht, die Rechte, zu deren Aufrechterhaltung ich dem Willen des Onkels und der Familientradition gemäß später beitragen sollte, interessierten mich nicht. Doch auch gewisse hehre Ideen von der studentischen Existenz, die Hippel, schon ein Jahr früher immatrikuliert, sich und mir einzureden versucht hatte, erwiesen sich, verglichen mit dem niedlichen Mittelmaß der studentischen Realität als platterdings unangemessen: meine Kollegen waren untertags stumpfe Mitschreiber und abends dumpfe Biertrinker.

Theo verschleppte mich einige Male zu Kant. Revolutionär sei der, den Ausgang des Menschen aus seiner selbstverschuldeten Unmündigkeit predige der, in seiner Philosophie liege die Zukunft. Nun, abgesehn davon, daß ich ihm nicht folgen konnte (was hieß hier ›*der* Mensch‹ und was hieß ›selbstverschuldet?‹) – mir war der ganze Mann unsympathisch. Revolutionär, das war für mich der sich selbst zum Exempel (keineswegs nur zum guten) setzende Rousseau. Dieser sich selbst wegabstrahierende Schulmeister jedoch war nicht einmal ein gutes Modell für satyrische Vignetten.

Wissen Sie, Kreisler, solche Ersteller von Imperativen sind mir seit je auf die Nerven gegangen. Diejenigen, die anderen vorschreiben wollen, wie sie leben sollen, haben bewußt oder unbewußt die Absicht, diese andern am Leben zu hindern. Gegen kategorisch formulierte moralische Ansprüche hat sich sozusagen meine Natur gewehrt: das ging (zum Entsetzen Hippels) bis zum Einschlafen. Den gestirnten Himmel über mir habe ich oft gesucht, aber das Sittengesetz in mir nur selten gefunden.

Apropos gestirnter Himmel, apropos Sittengesetz: nicht lang nach Beginn meines Studiums begann mein Verhältnis mit Dora, meiner Sonne. Oder genauer: *ihr* Verhältnis mit mir. Sie war damals achtundzwanzig und schien mir sehr erwachsen. Ich lehrte sie für gutes Geld, das ihr Mann, der wesentlich ältere Weinhändler Hatt, bezahlte, Klavier spielen, aber was *sie* mich lehrte, war unbezahlbar. Sie lächeln? Ja. Das hat mich wahrscheinlich geprägt. Erst Dora, dann Julchen. Immer am Fortepiano. Aber wen wunderts? Musik ist erfüllt von Erotik. Deswegen, mein Lieber, kann man sie ja so lieben.«

Hier wollte ich einhaken, eine Frage in bezug auf ein ganz bestimmtes Fortepiano, wie er es nannte, stellen, aber er ließ sich nicht unterbrechen. »Dora«, sagte er, trotz der Kälte in Hitze geraten, – »ich nannte sie Cora – verführte mich, nachdem ich ihr einige Stunden heroischen Widerstand geleistet hatte (wenn sie das Pedal trat, berührte sie wie von ungefähr, aber immer ungeduldiger, mein Bein), vor, auf, unter und neben dem Klavier. Ihre Leidenschaft erschreckte mich anfangs, beim ersten Mal zerriß sie mir das Hemd und zerkratzte mir, der ich, von idealeren Vorstellungen fehlgeleitet, nicht gleich wußte, wie und was, den Rücken. Aber ich war ein gelehriger Schüler, und je selbstverständlicher unsere Umarmungen wurden, desto subtiler fielen sie aus.

›Die körperliche Liebe ist‹, schrieb ich damals an Hippel, ›eine hohe Kunst. Daß ich meine Inamorata so ganz, mit all dem Gefühl liebe, dessen mein Herz fähig wäre, daran zweifle ich allerdings. Nichts wünsche ich aber weniger, als einen Gegenstand zu finden, der diese schlummernden Gefühle weckt. Das würde meine behagliche Ruhe stören, würde mich aus meiner vielleicht imaginären Glückseligkeit herausreißen, und ich erschrecke schon, wenn ich nur an den Troß denke, der solch einem Gefühl auf den Fersen folgt. Da kommen Seufzer, bange Sorgen, Unruhe. Melancholische Träume, Verzweiflung pp. Ich meide daher alles, was so etwas involvieren könnte‹. Schrieb ich. Aber was ich da schrieb (übrigens hat Theo, wahrscheinlich schon beim Lesen errötend, diese Briefe später zensuriert!), stimmte immer weniger.

Halten Sie mich nicht für einen Zyniker, wenn ich Ihnen, aus einer in mehr als einem Leben erworbenen Erfahrung sage, daß, wie der Appetit mit dem Essen, die Liebe oft mit dem Sex kommt. Ja, ich weiß, manche sind da gegenteiliger Meinung und waren es damals besonders, aber gerade die Entwicklung meiner Beziehung zu Cora erweist, daß das möglich ist. ›Du hast alles in Anschlag gebracht‹, schrieb ich Hippel, der mir, Philister, der er im Grunde doch war, diese skandalöse und auf Dauer nicht ganz zu verbergende Liaison immer kleinlicher, immer ängstlich verklemmter auszureden versuchte, anderthalb Jahre später, ›Du hast alles in Anschlag gebracht, nur nicht, daß ich sie bis zum Unsinn liebe. Und wenn ich‹ (das hat er wieder gestrichen) ›daran denke, daß diese Flasche von einem Weinhändler sie jeden Abend so legal wie prosaisch befingern und bespringen darf, während unsere poetischen Umschlingungen und Durchdringungen illegal sein sollen, dann verdrießt mich das tote Recht, das hier, dem lebendigen Gefühl zuwider, über uns herrscht, gleich noch mehr, und die schöne Idee, einfach zu fliehen und in einer wärmeren, freieren Gegend ein einzig der Kunst und der Lust gewidmetes Leben zu führen, wird angesichts des Grauens vor der bevorstehenden Pflicht, dieses Recht zu vertreten, noch attraktiver.‹

»NUN, KREISLER, Sie wissen, was aus dieser schönen Idee geworden ist. Sie war (das haben so manche Ideen an sich) zu ideal. So ideal, so romantisch war sie, daß wir (Dora und ich) sie im Grunde unserer von Anfang an melancholisch enthusiasmierten Seelen gar nicht ernst nahmen. Der miesen Realität entflohen wir nur in der Phantasie, in Wirklichkeit fiel uns nichts ein, als zu warten, bis sie uns einholte. Das tat sie denn auch – das Verhältnis blieb nicht verborgen. Und die Verhältnisse standen ihm starr entgegen. Vage Hoffnungen auf ihre Lokkerung durch Geschichte oder Natur wurden überdies enttäuscht. Weder drang die Revolution (in diesem Fall hätte ich aus rein persönlichen, also ehrlichen Gründen einen radikalen Umsturz der gesellschaftlichen Strukturen begrüßt) rasch genug von Paris nach Königsberg vor, noch tat mir Herr Hatt, wenn auch gewissermaßen beruflich an der Leber erkrankt, den Gefallen, vorzeitig das Zeitliche zu segnen (statt dessen bekam Dora ein schlechtes, ihre sonst schwer zu verderbende Sinnenlust zumindest minderndes, Gewissen). – Es kam, wie es unter diesen Umständen kommen mußte. Sir Ott sah die Ordnung, für die er sich sein Leben lang verantwortlich gefühlt hatte, gefährdet. Ganz Königsberg wähnte er unserthalben skandalisiert. Und als ich – trotz allen inneren Widerstands – mein Examen als juristischer Auskultator hinter mich gebracht hatte, stand der mit Karrieregründen rationaliserten Entfernung meiner Mißliebigkeit aus seinem wohlanständigen Haushalt nichts mehr im Weg. Gelegen kam, daß mein zweiter Onkel (Johann Ludwig) Rat am Obergericht in Glogau war. So sah ich mich unversehens dorthin versetzt. Nein, ich protestierte nicht, mir einredend, daß ich mir aus der Entfernung über meine Gefühle zu Cora erst richtig klar werden würde. Aber tatsächlich war klar, daß dies das Ende unserer Liaison bedeutete – wir schrieben uns noch einige Zeit, umarmten uns brieflich, allein das war ein zu schwacher Ersatz für die Umarmungen, die wir gewöhnt waren... Im Frühling darauf versuchten wirs noch einmal. Ich nahm eine Woche Urlaub, reiste, ganz erinnerungssüße Zunkunftserwartung, nach Königsberg, doch unser Treffen war nichts als Enttäuschung. Nein, meinte Cora, sie könne sich nicht von ihrem kranken Mann trennen. Im übrigen hätten ihr schon von jeher meine für ihren Geschmack zu kurzen, allzu dunkel behaarten Beine mißfallen (sie hatte bereits einen blonden Freund mit längeren).

Nach Glogau, einer Stadt, die so war, wie ihr Name klang, nämlich kleinlich, öd, provinziell, nach Glogau zurückgekehrt, tauchte ich tief in den Alltag. Onkel Nr. 2 war eine etwas weniger dicke und daher auch weniger komische Ausgabe von Onkel Nr. 1, seinem Philistertum hatte ich, offiziell zwar erwachsen, aber nach wie vor abhängig, weniger Widerstand entgegenzusetzen als dem Sir Otts. Außerdem war meine Widerstandskraft fürs erste dahin. Zwar schien mir das Leben, das vor mir lag, eine Zumutung, aber diese Zumutung war ja die allgemeine. – Wie hatte ich mir je einreden können, etwas Besonderes zu sein? Ich, ein unsicherer, unscheinbarer, viel zu klein geratener junger Mann, den bestenfalls Hippel, dessen Briefe mich aber auch nur unzureichend tröteten, als das sah, was er gern sein wollte! Zwar kompo-

nierte und zeichnete ich an den Abenden, aber die Lektüre von Akten, mit der ich die Tage zubrachte, lähmte meine Kreativität. Das Wort Hobby, das ich hasse, war damals noch nicht gebräuchlich, wohl aber das Wort Steckenpferd, und ein solches zu reiten war eines ernsthaft den Kinderschuhen entwachsenen Menschen (Hoho, lachte der Onkel über meine künstlerischen Ambitionen, und die Cousinen kicherten) eigentlich unwürdig. Worauf es ankam, das war etwas anderes. Man hatte nicht produktiv zu sein, sondern *re*produktiv, hatte zu tun, was Generationen vorher getan hatten, sich anständig zu erhalten und zur Fortsetzung dieses bis heute für Sinn ausgegebenen Unsinns eine Familie zu gründen. Unter dem Einfluß solcher Prinzipien und geplagt von gewissen Entzugserscheinungen verlobte ich mich mit Minna, der weniger häßlichen meiner beiden Cousinen. Daß sie – trotz meiner offenbar mit zu wenig Elan (der war mir abhanden gekommen) versuchten Attacken – bis zur Hochzeit keusch bleiben wollte, war eine Ironie des meinerseits bis auf weiteres nicht mehr ironisch bewältigten Schicksals.
So wurde ich Referendar (das war mir egal). Daß allerdings der Onkel Geheimer Obertribunalsrat wurde und als solcher nach Berlin gehen sollte, weckte mich etwas aus der lethargischen Schläfrigkeit, in der ich zu Glogau eher hinter mir her, als vor mich hin dämmerte. Als künftigem Schwiegersohn winkte mir eine Berufung ans selbe Gericht. Das war immerhin eine Chance auf Ortsveränderung: auf mehr Veränderung wagte ich vorläufig gar nicht zu hoffen.
Die einzige Inkonsequenz in dieser von mir fast masochi-

stisch genossenen Anpassungsphase waren die sich manchmal bis in den Morgen ausdehnenden Nächte mit Molinary. Dieser Mann, verstehn Sie mich richtig (Hippel tat es nicht...) übte einen zuallererst körperlich bedingten Reiz auf mich aus. ›Denk Dir einen Menschen, schön gebaut wie der vatikanische Apoll – dazu aber einen Kopf, wie ich ihn einen Fiesco zu charakterisieren wählen möchte‹, so schrieb ich an Hippel. Das war – aus der Distanz von hundertachtzig Jahren wird der Blick für gewisse Äußerlichkeiten schärfer – wohl etwas übertrieben, aber in Relation zum vom Glogauer Klima (ich meine nicht nur das Wetter) geprägten Menschentyp war Molinary zweifellos imponierend.

Zwar hatte er eine mit seiner übrigen Erscheinung nicht recht korrespondierende Hinterhauptsglatze, und die Grazie, mit der er, ein dunkler Lichtblick im Einheitsgrau, auftrat, war weniger Natur als Stil, vielleicht sogar Manier. Aber da er sie sich anläßlich längerer Aufenthalte in meinem Traumland Italien angeeignet hatte und seine *italianità* noch durch das Einstreuen klangvoller Phrasen (›Allora – va bene - non importa‹ etc) zu unterstreichen pflegte, fiel ich voll auf ihn herein. Noch dazu war er Maler und tragikumwittert. Verstand es, sein künstlerisches Versagen als schicksalhaftes Scheitern darzustellen und mir das Gefühl zu geben, ein Schicksalsverwandter zu sein (obwohl ja, bei meinen bis dahin eher bescheidenen künstlerischen Ansätzen, von Scheitern noch gar nicht die Rede sein konnte, aber das nur nebenbei). Jedenfalls brachten wir so manchen Abend mitsammen zu und köpften so manche Flasche italienischen Weins, von dem er sich, um, wie er sagte, Glogau überhaupt auszuhalten,

aus Quellen, die er, Geheimniskrämer der er war, natürlich nicht verriet, immer wieder Nachschub besorgte. Und ich, der ich damals noch wenig Alkohol vertrug, entdeckte ungeahnte Talente in mir, erkletterte das Gerüst, das er, um unsere Jesuitenkirche zu verschönern hatte aufbauen lassen, und sprach mitternächtliche Gedichte. Daß mir solche Hilfe beim Freskenmalen juristischerseits übelgenommen werden würde, war eine eitle Hoffnung. Daß ich jedoch, im ersten Vollrausch meines Lebens, selbst überrascht über die Wut, die sich in mir aufgestaut hatte, die demonstrativ versperrte Haustür des Onkels eintrat, war nicht nur kaum glaublich (ich war, wie gesagt, kein Riese), sondern verursachte, wenigstens im Kreis der Familie, ein gewisses Aufsehen, der Onkel behielt sich nicht näher definierte, aber in bedrohlichem Brustton angekündigte Schritte vor, und Minna weinte tagelang in ihr Schnupftüchlein, wenn sie mir über den Weg lief.
Molinary war es auch, der mich auf den Gedanken brachte, vor meiner Übersiedlung nach Berlin noch einen Abstecher nach Dresden zu machen. Ehe ich also von einer verstaubten Kanzlei in die andere wechselte, leistete ich mir noch eine Reise durchs Riesengebirge, schrieb Hippel, der auf so etwas Wert legte, Empfindsames über Wasserfälle, war aber im Geiste (was sag ich? mit meinem Begehren!) schon in der berühmten Gemäldegalerie, von der mein Italiener mir erzählt hatte. Und dann, von so viel, wenn auch bloß durch *gemalte* Körper gespiegelter Sonne geblendet, kam ich zum zweiten Mal in meinem Leben auf die Idee, einfach auszubrechen, zu fliehen, dieses kleinlich trübe Deutschland hinter mir zu lassen.

In die nächste Postkutsche zu steigen und auf Nimmerwiedersehen nach Süden abzufahren, dort eine Harmonie zu finden, die ich hier immer vergebens suchen würde – das war eine Versuchung, die mich die letzte Nacht im Dresdener Gasthof wachhielt: aber am nächsten Vormittag schlief ich erschöpft in der Diligence Richtung Norden.«

»BERLIN, UM es gleich vorwegzunehmen, war – trotz ohnehin nicht sehr hoch gesteckter Erwartungen – eine Enttäuschung. Sehen Sie, Kreisler, es gibt Biographen, die so tun, als wäre ich hier gleich in meinem Element gewesen – das Gegenteil ist der Fall. Zum ersten war die rein bauliche Realität dieser teils provinziellen, teils protzigen Stadt (von den zwei Fritzen in Auftrag gegebene Klötze, sowie ein paar sogenannte Stadtpalais, die mehr militärischen als ästhetischen Sinn verrieten, auf der einen, morastige, schlecht beleuchtete, von eher elenden Häuschen, die nicht höher als zwei Stockwerke wachsen durften, gesäumte Straßenzüge auf der anderen Seite) nichts im Vergleich zu meinen Träumen von Verona oder Venedig. Aber darauf hätte ich mich, zumal mir die Menschen gefielen, namentlich das sogenannte Volk, unter das ich mich, verhemmt und wohlerzogen, zwar nicht wirklich *zu mischen* getraute, dessen fröhliche Respektlosigkeit aber lautstark genug war, daß ich sie, etwa die Spree entlang schlendernd, oder mit dem Skizzenblock unter den Linden (die damals wirklich noch standen) sitzend, mitbekam, aufnahm, ja auf*sog* – darauf hätte ich mich (im Vergleich mit Glogau war das trotz allem eine Metropole) schon einigermaßen eingestellt. Daß von der größeren Freiheit, die ich mir erhofft hatte, nur sehr bedingt die Rede sein konnte (wieder ein Dörffersches Haus, noch immer Verwandte, die mir mit ihren zu Prinzipien erhobenen Platitüden auf den Nerv gingen, mich, widersprach ich oder hörte ich nicht zu, für einen Idioten hielten, und – bedenken Sie, ich war damals immerhin zweiundzwanzig – buchstäblich jeden meiner Schritte mit pedantischem Mißtrauen beobachteten), also das war

schon schwerer zu ertragen. Am schlimmsten aber war, daß ich beim besten Willen nicht wußte, wie ich (und sei es auf Um- oder Schleichwegen) zum sogenannten Kulturleben Zugang finden sollte, das mich ja, wenn ich schon einmal da war, nun doch zu locken begann als eine, wenn auch noch unbekannte Heimat. Es spielte sich angeblich in irgendwelchen Salons ab, die für mich so fern waren, als wären sie in Paris oder Rom gewesen.
Stimmt, ich machte Musik und verbesserte meine Kenntnisse in der Kompositionslehre bei Professor Reichhardt. Aber der war ein Bekannter aus Königsberg und im übrigen, so gut er sein Handwerk beherrschte, ein isolierter Sonderling, dem sein Zopf nicht von ungefähr nachhing. Ansonsten ging ich, auch das trifft zu, möglichst viel ins Theater, schaute, auf Zehenspitzen durch den Bühneneingang schleichend, wohl auch manchmal hinter die Kulissen. Aber vom Verkehr in Künstlerkreisen, über den ich dem naiven Hippel schrieb, war vorerst gar keine Rede. Apropos naiv – zu einem einzigen Künstler, Franz Holbein, der, zur Gitarre singend, Francesco Fontano genannt werden wollte, gewann ich schließlich Kontakt. Italophil, wie ich war, bewunderte ich sein pseudoneapolitanisches Canzonengeschmetter und überreichte ihm eines Abends in einer Anwandlung meine Schüchternheit kurz aber vehement durchbrechender Begeisterung eine Theerose. Er nahm sie und lächelte mich an – mit einer gewissen, von mir vorerst falsch gedeuteten Verständnisinnigkeit. Als ich ihm, auf ein Glas Sekt eingeladen, gestand, wie sehr mich die von ihm gesungene Sprache faszinierte, schlug er mir vor, ihn einmal pro Woche zwecks italienischer Konversation zu besuchen. Schon beim er-

sten Mal stellte sich heraus, daß unsere Interessen doch etwas verschieden waren. Aber er war nicht nachtragend: ›Ach so‹, sagte er, ›es geht Ihnen also wirklich um die lingua italiana. Und um die Musik. Sie komponieren auch selbst? Bringen Sie mir einmal etwas mit und ich will sehn, was ich für Sie tun kann! – ›Aber ja‹, sagte er eine Woche später wohlwollend über meinen Notenblättern nickend, aber ja, aber ja! Sie haben Talent, junger Mann, also ehrlich gestanden, ich glaube, so können wir zu guterletzt doch noch etwas miteinander anfangen! Wissen Sie was? Ich habe schon lang ein Projekt... Wie wärs, wenn Sie jetzt nach Hause gingen, sich hinsetzten und versuchten, für mich ein Singspiel zu schreiben?‹ – Er war ein Mensch, der ununterbrochen posierte. Auch wenn er *frei* sprach, klang es wie eine Rolle. Seine mimische Muskulatur reagierte auf von ihm selbst gegebene Stichworte. Mir gefiel das damals, aber das Libretto, das ich für ihn verfaßte, hieß, wie mir heute vorkommt, recht beziehungsvoll ›Die Maske.‹ Die Musik – nun ja, ich bemühte mich. Aber da ich vor den Meistern der Opera buffa und vor allem vor Mozart (den ›Don Juan‹ konnte ich fast auswendig) auf den Knien lag, war mir schmerzlich klar, wie hoch diese Halbgötter über mir thronten. Übrigens Thronen: von Holbein angestiftet, der es für richtig hielt, im gegebenen Augenblick servil zu sein, schickte ich Partitur und Textbuch an die Königin. Die verwies mich huldvoll (und sicher, ohne einen Blick hinein geworfen zu haben) an den für Dramatisches zuständigen Schauspieldirektor Iffland, und der reagierte auf einen Brief, der mir noch heute peinlich ist, erst überhaupt nicht und dann präpotent ablehnend.

Von da an war mir Berlin fürs erste verleidet. Mein Selbstbewußtsein, das sich kurz, wenn auch zaghaft genug, aufzurichten versucht hatte, verkrampfte, beugte sich wieder zu meiner körperlichen Unscheinbarkeit entsprechender, unterdurchschnittlicher Größe. In diesem Zusammenhang besser verstehen würden Sie vielleicht auch ein etwas mißlungenes, amouröses Abenteuer mit einer ... aber nein. Sie müssen nicht all meinen Verirrungen folgen – und aus diesen Verirrungen heraus halbwegs zu mir selbst gefunden habe ich schließlich erst in Posen.

»AN POSEN«, sagte Kowalsky, »denke ich gern. Nicht, daß es mir dort gefiel, nein, die Stadt war grau, bis auf das Viertel um die Wilhelmstraße, in dem ich Quartier nahm, und den schönen Platz vor der Pfarrkirche häßlich, und insgesamt langweilig. Die Bürokratie, der ich (nun als Assessor) diente, war vor allem beschäftigt mit der Unterdrückung der polnischen Minderheit, die eigentlich die Mehrheit war. Und das Militär gewährleistete die in den Amtsstuben praktizierte, papierene Gewaltanwendung durch demonstrativ säbelklirrende Präsenz. – Posen war seit sieben Jahren annektiert, machte aber nach wie vor den Eindruck einer besetzten Stadt. Polen hatte man so oft geteilt, bis (auf den Landkarten) nichts mehr von ihm übrig war, und doch war viel von ihm übrig. Das war sofort spürbar, wenn man dort ankam: ein trotz allem freier Geist. Aber wahrscheinlich spürte man den nur bei einer gewissen Sensibilität, die nicht zu den Eigenschaften gehörte, die man bei preußischen Beamten und Soldaten voraussetzte.
Ich hatte sie – soeben erst, zumindest räumlich, vom Familienterror befreit, konnte ich, so verniedlichend diese Assoziation auch klingen mag, das Gefühl unterjochter Freiheit *nach*fühlen. Und auch jetzt war ja meine Freiheit nur halb. Zwar wußte ich mich zu Hause (das heißt im Haus des Hofbuchdruckers Decker) auf eine Weise unbeobachtet, an die ich mich erst allmählich gewöhnte. Aber im Amt, an dem ich, übrigens immer noch unbezahlt und somit nach wie vor auf unangenehme Weise abhängig von der Familie, praktizierte, konnte (und durfte) von Freiheit keine Rede sein. – Anderseits war dieses Mitgefühl für die Polen natürlich verrückt. Zu Hause las

ich (ein paar Brocken Polnisch konnte ich schon aus Königsberg, und den Rest bemühte ich mich zu lernen) über den Freiheitskampf Tadeusz Kosziuckos, aber im Amt stand oder saß ich gewissermaßen an um einen Platz an der preußischen Staatskrippe. Zwar hatten *die Russen* Kosciucko und die Seinen umgebracht, aber wäre der Aufstand hier losgegangen, was hätten denn wir gemacht? Betroffen getroffen von polnischen Blicken schämte ich mich manchmal, preußischer Untertan zu sein.

Ja, Kreisler, hier zum Beispiel wurde mir meine Schizophrenie bewußt. Aber nicht als *innere Tendenz,* die ich nichtsdestoweniger mein Leben lang fühlte, sondern als *von außen auferlegte Zumutung.* Eine Zumutung übrigens, die sich bis heute nicht wesentlich geändert hat. Nein, ich bin sicher, sie ist sogar schlimmer geworden. Klar, die Methoden, mit denen man sie durchsetzt, sind strichweise subtiler. Manchmal bemerkt man ja kaum, wie einem geschieht. Das jedoch wissen Sie ebensogut wie ich. Das ist ja der Grund, warum mir Ihr Vortrag gefallen hat und warum ich Ihnen das erzähle...

Aber zurück nach Posen, ins Jahr 1800. Ich habe Ihnen gesagt, daß ich mich gern daran erinnere, und nach dem bisher Berichteten wäre das schwer verständlich. Doch was mir in Posen geschah, war widersprüchlich. Buchstäblich: indem ich – konkreter als bisher – begriff, was ich ablehnte, fand ich erstmals die Kraft zum Widerspruch. Sicher, das war nicht von Anfang an absehbar. Aus Berlin kam ich seelisch geschwächt, Akklimatisationsversuche an die Posener Mißverhältnisse schwächten auch meinen – ohnehin nie sehr widerstandsfähigen –

Körper. Nächtliche Saufgelage waren das einzige Vergnügen der Räte und Offiziere. Und da mich niemand mehr beaufsichtigte und mein Bedürfnis nach Betäubung groß war, nahm ich, wenngleich von der Dummheit und Unverschämtheit, die dabei zutage trat, angeekelt, exzessiv daran teil. – So dauerte es nicht lange (drei Monate) bis ein Kollaps mich umwarf. Der Arzt verschrieb mir Kreislaufstärkendes und verordnete mir vor allen Dingen Bettruhe. Doch in dieser Situation, als ich im wahrsten Sinn des Wortes darniederlag, kam der Umschwung. Seine Vorbotin war die im nämlichen Haus wohnende Regierungsrätin Schwarz, die sich meiner pflegend annahm. Sie war eine hübsche, wenn auch etwas zu voluminöse Dame mit freundlichen Kuhaugen. Wahrscheinlich deshalb erinnerte sie mich an die Göttin Hera. An meinem Bett sitzend flößte sie mir Thee ein, wie ehemals Tante Füßchen. Das gefiel mir so sehr, daß ich, nach einer kurzen Aufpäppelungsphase mit milden Suppen, schon nach wenigen Tagen vor allem ihrem Pflaumenkuchen zusprach. – Doch pflegte und stärkte sie keineswegs nur meinen Körper. Neben ihrer Haupttätigkeit als Domina rezensierte sie, das vernahm ich mit wachsendem Interesse, Romane für eine Literaturzeitung. Bald führten wir überaus kultivierte Gespräche. Daß immer, wenn sie sich ästhetisch ereiferte (ich lag und sie saß), ihr Busen wie eine Verheißung künftigen Lebens über mir vibrierte, trug nicht unwesentlich zu meiner Genesung bei. Ihr Mann, der Regierungsrat, der sich nun vorsichtshalber auch näher für mich interessierte, war übrigens ein gescheiter Kopf. Er sah zwar nicht aus wie Zeus, sondern eher, wollen wir bei Vergleichen aus der griechischen

Mythologie bleiben, wie ein etwas gealterter Hermes, mit einem listig zur Nase hin zugespitzten Gesicht, und hatte sogar ein Buch geschrieben. Das paßte zu seinem Aussehen und hieß: ›Grundsätze einer unvernünftigen Polizei.‹ Daß ein preußischer Beamter (wenn auch, wie er mir schmunzelnd verriet, bei der Obrigkeit unliebsam auffallend) *so etwas* schreiben konnte, gab mir noch zusätzlichen Lebensmut, und ich stand, erfreulich erholt, wieder vom Krankenbett auf.

Von da an hatte ich wirkliche Freunde in Posen. Noch dazu gleich im Haus, was wollte ich mehr? Wir plauderten, musizierten, regten uns an. Johann Ludwig (so hieß der Regierungsrat, den ich bald duzte) schrieb eine ›Kantate zur Feier des Neuen Jahrhunderts‹, die ich ganz leidlich vertonte – tatsächlich, es ging aufwärts. Und dann – nun ja, er war, wie gesagt, gescheit. Auf die Blickwechsel zwischen seiner Frau und mir, die ihm natürlich nicht verborgen blieben, reagierte er mit einem Ablenkungsmanöver. Eines Abends hatte er – unter anderen Gästen – ein Fräulein eingeladen, das, er stellte sie mir augenzwinkernd vor, Michaelina hieß. Dieses Manöver war ein voller Erfolg.

Sie war der Regierungsrätin nicht unähnlich, aber viel jünger. Und ihre Augen waren nicht braun, sondern blau. Das unter dunklen Haaren – ein schöner Kontrast! Mit langen, feinen, ebenso dunklen Wimpern... Gebildet plaudern konnte sie auch – allerdings mit Akzent. Ihr Vater, Herr Rorer-Trinska, war städtischer Schreiber. Das heißt, das war er vor der Besetzung gewesen. Danach hatte man ihn, wegen angeblich mangelnder Deutschkenntnisse, entlassen.

Schon deshalb war mir Michaelina sympathisch. Meine Empörung gegen die allgemeine Ungerechtigkeit konnte sich im Gespräch über diesen besonderen Fall Luft machen. Und wie sehr, wenn auch bisher vergebens, hatte ich mir eine Gelegenheit zur Verbrüderung mit den Polen gewünscht! Nun war sie gekommen. Unerachtet der Tatsache, daß sich ein Mann mit einer Frau weder verbrüdern noch verschwestern kann, drückte ich Mischas Hand. Sie drückte zurück. Das nahm mich auch für sie ein. Deutsche Mädchen pflegten nicht so zu drücken. ›Übrigens‹, sagte sie, ›sind wir uns schon begegnet. In Glogau.‹ (Sie hatte dort eine entfernte Tante). Ich erinnerte mich nicht, aber sie erinnerte sich umso mehr. ›Sie haben mich‹, sagte sie, ›dort nicht beachtet, waren Sie verlobt?‹ Daß sie hier die Vergangenheit verwendete, würde man heute als ›selffulfilling prophecy‹ bezeichnen. ›Ja‹, sagte ich, ohne näher auf diese Frage einzugehn. Sie fragte ohnehin gleich weiter.

›Sind Sie ein Dichter?‹

(Sie prophezeite schon wieder!)

Ich sagte ›nein‹.

›Sie sehen aber so aus.‹

(Sie wußte es besser als ich).

›Ich mache Musik. Und zeichne. So nebenbei...‹

›Schade. Ich mag lieber Dichter.‹

Ich mußte lachen.

›Welche?‹

›Polnische Dichter.‹

›Und deutsche?‹

›Schiller.‹

›Schade. Ich mag lieber Goethe.‹

Jetzt lachte *sie.* Dann lachten wir *miteinander.*
Hören Sie, Kreisler? Wir konnten mitsammen *lachen!* Das ist etwas, das diese infame Klatschberichterstattung überhaupt nicht in Betracht zieht. Ob zwei Menschen miteinander lachen können, das interessiert Ihre von Berufswegen humorlosen Kollegen von der Literaturgeschichtsschreibung im allgemeinen *nicht.* Überdies habe ich unseren Dialog nicht von ungefähr möglichst wörtlich wiedergegeben. Hoffmanns Frau war Hoffmann nicht ebenbürtig! – Sie war selbst keine Dichterin, bitte, na und? Ich bin halt ein Dichter *geworden,* so nach und nach. (Ein Dichter, der sich im Herzen als Musiker fühlte.) Aber wer weiß, vielleicht sogar *ihr* zuliebe.
Außerdem harmonierten wir nicht nur in Sachen Humor. Wir harmonierten sozusagen darüber hinaus. Als ich, von Schwarz angeregt, das Fräulein, das man als Polin in einer von Deutschen besetzten Stadt nachts wirklich nicht allein gehen lassen konnte, nach Hause begleitete, sagte ich (eher scherzhaft): ›Ich möchte Sie küssen!‹ Da sagte sie (eher ernsthaft): ›Dann küssen Sie mich!‹
So war sie, die Mischa. Erfreulich unkompliziert. Sie wußte sehr gut, was sie wollte, und stand dafür ein. Ich begleitete sie noch zweimal nach Hause. Beim dritten Mal kürzten wir unseren Weg ab und blieben bei mir.
Was wir dann führten, hieß eine ›wilde Ehe‹. Aber ich sage Ihnen, Kreisler, keine Bezeichnung paßt weniger auf unser Verhältnis als diese. Es war keine Ehe, sondern ein freiwilliges Beisammensein. Und wild war bestenfalls Mischas polnische Kochkunst. Ihre Umarmungen waren hingegen sanft. Und engelsgeduldig (das hatte ich damals

nötig). Als es am Anfang nicht klappte und ich sehr nervös wurde, da war ihr Körper ein einziges, großes Lächeln. Aber keineswegs spöttisch, sondern beruhigend. Nichtsdestoweniger galten wir bald als schlimmes Exempel. Zwar waren Verhältnisse mit Polinnen für die Herren der preußischen Oberschicht hier platterdings die Regel, aber erstens mußte man, um damit renommieren zu können, die Partnerinnen wechseln, und zweitens erforderte der gute Ton, daß man dieses Spiel nur bei Nacht spielte. So etwas ernst zu nehmen und sich auch untertags dazu zu bekennen, war nicht comme il faut. Im Amt stand ich, obwohl ich mich politisch nicht äußerte, binnen kurzem im Ruf eines Jakobiners. Das nahm ich indessen, guter Dinge, in Kauf. Seit ich mit Mischa beisammen war, hatte ich das Gefühl, daß mir nichts passieren könne, daß es auf jeden Fall aufwärts ginge. Das wirkte sich auch im Schöpferischen erfreulich aus. Ich komponierte eine nicht ungerade Musik zu Goethes ›Scherz, List und Rache‹ und erfuhr (mein Freund Johann Ludwig hatte seine Beziehungen) die Genugtuung einer Uraufführung dieses Singspiels zur Einweihung des Stadttheaters.
So begann ich mich wohlzufühlen in Posen. Ich lebte mich ein als Außenseiter, verstehn Sie? Daß sich gewisse Leute über mich das Maul zerrissen, bestätigte mich fast mehr, als es mich störte. Philister! Es gab andere, die zu mir hielten. Wir waren die Elite! – Belastend war allerdings die nach wie vor bestehende, finanzielle Abhängigkeit von der Familie. Aber auch die würde bald ihr Ende finden. Trotz des Geredes konnte man mir als Juristen nichts nachsagen.

Meine Ernennung zum Rat stand kurz bevor.
Doch dann, im Jahr zwei, folgte jene Faschingsaffäre. Sie kennen das, Kreisler, es steht, so viel ich weiß, in allen Biographien, wenngleich meist verharmlost. Daß mich der Karneval in eine exaltierte Stimmung brachte, ist ein Klischee, mit dem sogar dieser Offenbach, dessen Oper ich trotz ihrer ansprechenden Musik nicht leiden kann, operiert hat. Carne vale – die widersprüchliche Verbindung zwischen Fleischlichkeit und Verzicht, zwischen Leben und Tod, das Lachen angesichts der Vergänglichkeit, hat ja, wenn man den tieferen Sinn dieses Abschieds- und Erneuerungsfestes begreift, tatsächlich etwas Berauschendes, aber gerade damals war ich recht nüchtern. Ja, ich wußte ziemlich genau, was ich tat. Unter Alkohol stand ich, ich schwörs, nur mäßig. Zum Karikaturenzeichnen braucht man eine ruhige Hand. Und gar zum Kopieren der Karikaturen am Fenster. Nein, ich rechnete nicht mit so viel Effekt. Aber diese ganze, sich auch das Jahr über maskierende Gesellschaft gerade anläßlich einer so impertinent exklusiven Redoute (nur Adelige, Offiziere und Offizianten, die Ratscharakter hatten, waren, seit dieser Schakal, ich meine den General Zastrow, das Kommando hatte, zugelassen) zu demaskieren, war mir nicht nur der Schabernack, den meine Kumpane im Sinn hatten, sondern auch bitterernstes Bedürfnis. Ich arbeitete verbissen, selbst überrascht über meine sarkastische Treffsicherheit. Und – Kreisler, das freut mich noch heute – ich *habe* getroffen!
Die Freunde verteilten die Zeichnungen auf der Redoute. Und zwar so, aber das wissen Sie, daß jeweils *ein* Tartuffe über den anderen lachte, ehe er draufkam, daß auch er

selbst blamiert war. Aber es ging nicht so sehr um die Einzelnen und ihre eigentümlichen Lasterchen. Es ging um die allgemeine Erbärmlichkeit dieser Clique. Die meisten waren sogar zu dumm, um *das* zu begreifen. Zastrow war immerhin schlau – er begriff das sehr gut. Daß man meine Handschrift erkannte, war zwar nicht eingeplant, bereitete mir aber, muß ich sagen, trotz der üblen Folgen eine nicht unerhebliche Genugtuung. Damit waren die Fronten wenigstens klar: ich löste (brieflich) meine Verlobung mit Minna, heiratete die schwangere Mischa und verließ (die sogenannte Strafversetzung war übrigens nicht offiziell), eine aus dem Herzen aufsteigende Bangigkeit vorläufig zurückdrängend, Posen hocherhobenen Hauptes.«

SO WORTREICH Hoffmann über seine Zeit in Posen erzählt hatte, so wortkarg wurde er in bezug auf Plock. »Das liegt am Ort«, sagte er. Wir gingen an der Spree entlang und froren. Die Weiden waren kahl, der Boden war steinig. Kowalsky bückte sich nach einem Kiesel.
Den ließ er ins Wasser plumpsen: »Hören Sie? Plock!«
Da stand er und grub seine Hände tief in den Mantel.
»Ich kann Ihnen«, sagte er, »wirklich nicht viel über Plock erzählen.«
Sein Haar wehte schütter gegen den bleigrauen Himmel.
»Wirklich. Auch wenn ich wollte, könnte ich nicht.«
Wie um seinen Widerwillen gegen diesen Abschnitt seines früheren Lebens auch physisch zu demonstrieren, sprach er über Plock, wenn überhaupt, meist abgewandten Gesichts. Das heißt, er sprach, während ich mit dem Mikrophon zu seiner Linken, also vom Fluß entfernter, neben ihm herlief, gewissermaßen ans andere Ufer hinüber. So sind auf dem Tonband vor allem Windgeräusche. Und manchmal (erstaunlich laut) die Schreie von Möwen.
Kowalskys Stimme dahinter ist sehr weit weg.
»Der Genius loci ...« verstehe ich, »wenn man bezüglich Plock überhaupt von einem Genius reden kann...« Dann folgt eine große Pause. Ich höre nur Schritte. »... hat sich mir ...« (heißt das: »trüb«?) »aufs Gemüt gelegt.«
Dann redet Kowalsky unvermittelt von Freud.
»Ich habe«, sagt er, »Professor Freuds Ausführungen zu meinem ›Sandmann‹ mit großem Interesse ...« – »Sehr aufschlußreich, wirklich, überaus aufschlußreich. Vor allem die Thesen frühkindlicher Verletzung und späterer Verdrängung.«

»Doch man verdrängt ...« (jetzt ergänze ich aus dem Gedächtnis) »... glauben Sie mir, nicht nur Traumata aus der Kindheit. Sehn Sie, was Plock betrifft, hab ich fast alles verdrängt. Plock ...« (er spricht das ck wie k) »dieses Plock war ein Schock!«
Er habe viel, fährt er fort, über Plock gelesen.
Vor allem in seinem eigenen (!) Tagebuch.
Das habe er schließlich dort zu schreiben begonnen.
Doch die Lektüre habe nichts ausgelöst.
Er meine: er habe gelesen, wie es dort war. Und was er (als Hoffmann) damals empfunden habe. Einsamkeit, Selbstvorwurf, Trübsinn und Überdruß. Aber vor seinem retrospektiven Auge seien keine Erinnerungen aufgestiegen...
Eine kleine, elende Stadt an der Weichsel. (Er habe kein Bild, er habe nur den Begriff). Alte, wahrscheinlich verfallene Kirchen und Klöster. Ansonsten Holzhäuser, meistens strohgedeckt. Das Gericht: womöglich im alten Schloß. Die Delinquenten: die Ärmsten, im Grunde nicht haftbar. Kleine Diebe und Hehler, verdreckt, verlaust.
Aber er sehe keinen wirklich vor sich.
Seine und Mischas Behausung: ein *besseres* Haus. Das heiße massiv. Mit einem richtigen Dach! Trotzdem, vermute er, ebenerdig und feucht. Was ihm von Plock geblieben sei: Rheumatismus.
Was habe er dort, durch zwei endlose Jahre, gemacht?
Er meine: abgesehn von der Juristerei?
Offenbar habe er ein Klavier gehabt. (Das entnehme er seinen Briefen an Hippel).
Zwar müsse es ziemlich verstimmt gewesen sein. Aber es

sei ihm trotzdem ein Trost gewesen. Mischa habe in Plock ihr Baby geboren. Aber es war (gottlob!) eine Totgeburt. – Knabe? Mädchen? Er könne sich nicht erinnern. Wahrscheinlich ein Knabe, ja. Aber ohne Namen. Anzunehmen, daß Mischenka traurig war. Aber konkret sei davon kein Nachklang in ihm.

Plock: eine große, vage Melancholie... Anderseits habe er sich dagegen gewehrt. Das habe er jedenfalls seinem Nachtbuch entnommen. Ja, es sei ja vor allem bei Nacht entstanden. ›Die Frau‹ – er zitierte sich selbst – ›ist zu Bette gegangen. Und mich wandelt eine Kinderfurcht an im öden Zimmer – das nenne ich schwach sein. Ich wünschte‹, zitierte er weiter, ›es wäre schon Morgen. Liegt nur erst eine Nacht zwischen einem solchen Inzidentpunkt und der Fortsetzung des Lärmens um nichts ... so gewinnt die Ansicht der Dinge wieder ein günstigeres Kolorit.‹

Und tatsächlich. Es sei wieder Morgen geworden.

Wie und wodurch? Das wisse er wirklich nicht.

Oder doch? Er sei sich dessen nicht sicher. Aber da sei eine Szene in seinem Gehirn.

Eher ein Szenenfragment. Womöglich ein Traum:

Er (Hoffmann) gehe durch ein gewundenes Gäßchen. Und habe sich (konnte man das in Plock denn?) verirrt. Der Boden unter seinen Füßen sei tief und der Morast klebe, von Schritt zu Schritt schwerer, an den Schuhen. Da sitze ein alter Mann vor einem Gewölbe. Er sitze auf seinem Schemel (wahrscheinlich ein Schuster). Ein Jude, mit Käppchen, Pajes und langem Bart. ›Wo gehts denn hier raus?‹ höre er (Hoffmann) sich selber fragen, und der Jude lächle.

›Wie Ihr hier rauskommt, Herr? Wo wollt Ihr denn hin? Zurück oder vorwärts, Herr – das müßt Ihr schon wissen!‹
Worauf er (Hoffmann) ziemlich gereizt reagiere: Der Jude solle ihn nicht zum Narren halten.
›Aber ich bitte Euch, Herr‹, sagt darauf der Jude. ›Halte ich Euch zum Narren? Das tu ich nicht! Doch haltet *Ihr* Euch für einen Narren, so ist es ganz recht. Wir alle sind Narren Gottes. Aber das wißt Ihr ohnedies!‹
Darauf nun müsse er (Hoffmann) seinerseits lächeln. Woher er das wüßte, daß er das wisse, fragt er den Juden. Das sehe man doch, sagt der Jude, gleich an den Augen. ›Ihr habt doch Humor, Herr, obwohl Ihr, verzeiht, ein Goj seid!‹
Wie schon gesagt, er wisse nicht, sagte Kowalsky, ob diese Szene nun real erlebt oder bloß geträumt sei. Aber im Rückblick von einem Leben aufs andere sei dieser Unterschied genaugenommen unerheblich. Jedenfalls müsse er sich dort, inmitten der Trostlosigkeit von Plock, eines Tages oder auch nach und nach seines Humors besonnen haben.
»Denken Sie nur, ich hab dort sogar ein Lustspiel geschrieben!«
Der Jude habe übrigens noch etwas von der prinzipiellen Traurigkeit der Welt gesagt und davon, daß man ihr gerade durch ein trotz allem frohes Herz entgegenwirken könne. Wenn alles ganz still und alle Hoffnung wie tot sei, dann könne vielleicht ein einziges, lebendiges Lied den Messias herbeisingen. Oder habe er (Hoffmann) das erst in Warschau gehört? – »Egal«, sagte Kowalsky, »es ist kalt, finden Sie nicht? Mir ist nach einer Kneipe.«

»IN MANCHER Hinsicht war Warschau«, sagte Kowalsky (sagt Hoffmann vor dem Hintergrund der Kneipengeräusche: ich erinnere mich, wie er dabei die Hände ums Punschglas legte, um sie zu wärmen ...), »in mancher Hinsicht war Warschau damals, im Mai 1804, für mich eine Gefahr. Nach den Entbehrungen von Plock – denken Sie zuerst einmal nur an die Entbehrungen der Sinne: der Augen, der Ohren vor allem – waren die vielfältigen Eindrücke, die dort schon während der ersten Tage auf mich einstürzten, beinahe zu viel. Ich war Leere gewohnt und Stille, in der mein Fortepiano, wenn auch falsch, so sehnsüchtig verloren klang, daß mir nichts anderes übrig blieb, als die aus meiner Brust immer wieder aufsteigende Verzweiflung mit schlechtem Wodka zurückzuspülen. Hier trieb mich die Neugier, tatsächlich: die *neue Begierde* ans Fenster, hier sah ich, hier hörte ich, was sich in den Straßen dieser, der Okkupation zum Trotz sehr lebendigen Stadt abspielte (direkt vor dem Tor begann oder endete ein Gemüsemarkt, da gabs auch zu riechen, zu schmecken, die Luft war so lau ...), ich mußte hinaus aus dem Haus ins Getümmel hinein, bergauf und bergab durch die Vorstadt, bis nach Lazienki, und erst dort, angesichts des noblen Schlosses und seiner sich im Wasser spiegelnden Harmonie, kam ich etwas zur Ruhe, die ich auf dem Rückweg noch durch einige Gläschen milden Weins vertiefte, so daß ich dann abends, nicht nur vom Alkohol berauscht, meiner lieben Frau davonschlief.

Die folgenden Wochen erst (der Dienstantritt beim Gericht trug sehr dazu bei) ernüchterten mich. Nein, dieses Warschau war nicht Neapel, die durch die Gassen irrlichternden Mädchen, die mich vorerst sehr verwirrt hatten, waren im Grunde genommen nur Schwestern und Basen Mischas, die auch wieder lachen lernen würde, und nicht jeden Tag war Himmelfahrt. Der sehr irdische, sehr preußisch geordnete Alltag erinnerte mich allzusehr an Posen. Aber Warschau war meine bisher größte Chance – und ich beschloß, sie zu nützen.

Endlich wurde ich ordnungsgemäß bezahlt! Dafür, daß ich untertags den Rat mimte, konnten wir uns feierabends wenigstens ein menschenwürdiges Leben leisten. Von meinem ersten Salär kaufte ich um teures Geld Malvasier und Kaviar. Mischa und ihre kleine Nichte, die wir um ihrer Not (ihr Vater war in eine Betrugsaffäre verwikkelt) und unseres Trostes willen zu uns genommen hatten, bekamen rote Wangen.

Aber natürlich wollte ich mehr als das. ›Es ist‹, hatte ich Hippel noch aus dem Plocker Exil geschrieben, ›als müsse sich bald etwas Großes ereignen – irgendein Kunstprodukt müsse aus dem Chaos hervorgehn.‹ Nun denn: hier konnte ich produktiv sein und wars auch. Was mir vorläufig fehlte, waren Kontakte. Indes, das Schicksal meinte es gut (ausnahmsweise). Im frühen Sommer lernte ich Itzig kennen. Er war Assessor am selben Gericht, klein, dick, kurzsichtig – zuerst schenkte ich ihm wenig Beachtung. Aber als wir eines Tages gemeinsam nach Haus gingen (er wohnte, wie sich herausstellte, mir unmittelbar benachbart), überschritt er – die Initiative ging also, hier kann ich seine ›Erinnerungen‹ bestätigen, von ihm aus – die Grenze der aufs Amt bezogenen Gespräche und wurde persönlich.

›Was ich Sie schon seit einiger Zeit fragen wollte‹, sagte er und tupfte sich, offenbar kostete ihn die Frage doch eine gewisse Überwindung, die Stirn – ›was ich Sie schon seit einiger Zeit fragen wollte: sind Sie der Hoffmann ... ich meine: derjenige, welcher ...?‹

›Derjenige welcher – *was?*‹

›Naja, der Bewußte... Ich meine, der mit der Karikaturengeschichte.‹

Ich wußte nicht gleich, wie ich reagieren sollte. Aber Julius, wie ich ihn bald nannte, stellte mir die Fama, die mir vorauseilte oder nachhing, in einem mein immer noch trübes Selbstbewußtsein derart aufhellenden Licht dar, daß ich, ganz gegen den Vorsatz, die leidige Affäre möglichst zu vergessen, fast wieder drauf stolz war. Ich sei, redete er mir ein, monatelang Kanzleigespräch gewesen, landauf landab ein Idol der aufgeklärten Juristen. Zwar sei eine Revolution wie in Frankreich bei uns weder wünschenswert noch denkbar, aber wenn die kritischen Köpfe, speziell in der Verwaltung (und das sei unter dem Druck der zur Veränderung drängenden Verhältnisse *möglich*) sich durchsetzten, dann sei eine derartige, das Unterste zuoberst kehrende Explosion vielleicht gar nicht nötig.

Nun, Kreisler, wir wissen inzwischen, wie solche Träume enden. Von Bewußtseinsrevolution und vom Marsch durch die Institutionen war ja auch in der jüngeren Vergangenheit so oft wie letzten Endes vergebens die Rede. Damals aber wußten wir das noch nicht. Im übrigen waren derlei Probleme nie (und schon gar nicht nach Plock) im Zentrum meines Interesses.

›Ich bin eher Künstler‹, sagte ich, ›als homme politique.‹

›Aber gewiß‹, sagte Itzig, ›das sind wir Deutschen doch

alle!‹ (Seine Taufe lag noch nicht weit zurück. So kam er auffallend oft auf sein Deutschtum zu sprechen).
›Wir Deutschen gehen schon unseren eigenen Weg. Wir erkämpfen die wichtigsten Siege auf den Schlachtfeldern der Ideen, nichtwahr? Außerdem sehn wir ja, was die Franzosen falsch gemacht haben. Wir müssen uns unserer eigenen Werte besinnen. Nehmen Sie Goethe und Schiller, das sind doch die edelsten Beispiele! Und die Brüder Schlegel und Brentano und Wackenroder und Tieck – was halten Sie von denen?‹
Ich mußte zugeben, daß ich das noch nicht wußte.
›Ich kann Ihnen ein paar Bücher leihen‹, sagte Itzig, ›die sollten Sie lesen!‹
Nun ja, es war klar, daß Itzig von etwas anderen Voraussetzungen her kam, als ich. Voraussetzungen übrigens, die er in seinen später niedergeschriebenen Aufzeichnungen wohlweislich nicht näher ausführt. Aber er wurde mein Freund und machte mich, von allem Neuen begeistert, wie er war, auf geistige Strömungen aufmerksam, die ich in der Einöde von Plock verschlafen hatte. In den nächsten Monaten las ich die bis dahin publizierten Schriften der Herrschaften, mit denen mich die Literaturgeschichte später in Zusammenhang bringen sollte, und ich muß sagen, ich war nicht unbeeindruckt. – Aber vor allem machte er mich mit Menschen bekannt. Ich meine *reale* Menschen und keine Namen. Freizeitenthusiasten, verwandte Seelen. Ich fühlte mich nicht mehr so isoliert, das bekam mir bestens.
Daß wir die ›Warschauer musicalische Gesellschaft‹ gegründet haben, wissen Sie. Auch daß ich mich, bei so viel ungewohnter Beachtung, wie nie zuvor angeregt fühlte

und wie besessen komponierte. Im Zeichnen und Malen machte ich Fortschritte, das alte Palais Mnischow, das wir für unsere Zwecke adaptierten, wurde nach meinen Entwürfen (zum Teil arbeitete ich dabei eigenhändig) mit Fresken versehn. Sogar dirigieren ließ man mich, ich brachte Mozart, Gluck, Cherubini und selbst den damals die Hörgewohnheiten auch des gebildeten Publikums durchbrechenden Beethoven zur Aufführung – mit einem Wort, ein künstlerischer Aufschwung.
Privat war das ebenfalls eine glückliche Zeit. So glücklich, daß wir, Mischa und ich, fast wieder die Freude unserer vorehelichen Flitterwochen aneinander fanden – und das blieb nicht ohne Folgen. Da hatten wir dann, das muß ich zugeben, Angst. Angst, daß es – Sie verstehen, was ich meine – wieder schief gehen könne: aber die Unterstellung mancher Biographen, ich hätte mich nicht entsprechend über die Geburt unserer Tochter Cäcilchen gefreut, ist eine bodenlose Frechheit. – Sie wissen doch, Kreisler, ich widmete ihr sogar eine Messe. Obwohl ich nie gläubig war. Trotzdem – jetzt war ich dankbar. Sie wurde am St. Cäcilientag bei den Bernhardinern uraufgeführt. Ich fand sie ebenso wohl gelungen wie die Kleine: mein bisher bestes Opus.
Und dennoch – das Warschauer Glück war ein Glück auf Abruf. Napoleon siegte bei Austerlitz: wann uns der Krieg erreichen würde, war nur eine Terminfrage. Aber wissen Sie, irgendwie fand ich das gut so. Denn, Hand aufs Herz, mein ganzes Leben im – bei all dem bunten Treiben – doch immer wieder betrüblich grauen Norden zubringen zu müssen, also das konnte und wollte ich mir damals immer noch nicht vorstellen.

Im tiefsten Winter (der auch meinem Körper nicht guttat: Leber und Nieren schmerzten, die Hände und Füße schwollen an, ich konnte mich kaum aufrichten) vervollkommnete ich meine ohnehin nicht üblen Italienischkenntnisse durch das Studium diverser Dialekte. Ja, ich plante eine Italienreise mit Hippel, aber der hatte inzwischen geerbt, saß mit einem immer rundlicher werdenden Junkerhintern auf seinem Gut Leistenau und würde (der Schwerkraft entsprechend) wohl immer dahin zurückfallen. Mir schwebte, wenn auch sehr vage, was anderes vor. Was genau, weiß ich nicht – eine Art von Wunder...

Im folgenden Jahr lief die Weltuhr schneller als sonst. Napoleon siegte auch bei Jena, die preußischen Kriegsprognosen klangen immer pessimistischer, die Stimmung wurde immer nervöser. Am 28. November (der Tag war erstaunlich mild) waren die Franzosen endlich da. Die polnischen Kollegen am Gericht trugen weiße Kokarden, die treueren Preußen lange Gesichter, ich für meinen Teil konnte mich, das muß ich schon sagen, zu keiner besonderen Trauer durchringen. Umso weniger, als die Franzosen unsere Verwaltung binnen kurzem auflösten. Und wir übereinkamen, die baren Kassenbestände (›um sie nicht in die Hände des Feindes fallen zu lassen‹) unter uns zu verteilen. Keine Sitzungen, keine Termine mehr! Den Tag lang konnte ich flanieren, den Abend, nicht ausgelaugt, sondern inspiriert, komponieren, zeichnen, schreiben – was blieb mir zu wünschen übrig?

Oder doch etwas? Ja. Ich kam in Versuchung.

Itzig schreibt ausführlich über mein Interesse an den französischen Paraden. Und tatsächlich: durch ein paar

Tage sah ich sie jeden Morgen. Aber dabei hatte ich nicht nur Freude am Spektakel; etwas ging mir durch den Kopf. – Wie, wenn ich (das Angebot hing für uns Verwaltungsbeamte in der Luft) einen Eid auf den napoleonischen Code leistete und mich (unter Hinweis auf meine guten Sprachkenntnisse) um einen Posten in Italien bewarb? War das unmöglich? Wieso? Vielleicht mußte ichs nur versuchen! – Für Preußen empfand ich nur wenig Heimatgefühle. Allerdings wurde mir – je öfter ich den Paraden zusah, um desto klarer, daß und wie sehr sie, bis auf die Uniformen, den unseren ähnelten…«

»ACH HÄTT ich mich doch«, fuhr Kowalsky fort, wieder auf der Straße, »ach hätt ich mich doch mit den Franzosen eingelassen! Da ich mich letzten Endes nicht entschließen konnte, *ihrem* Militarismus mehr abzugewinnen als dem unsren, sahen sie offenbar auch keinen Grund, mir entgegenzukommen. Ein Paß nach Wien (die Idee, in der Kaiserstadt künstlerisches Asyl zu finden, schien mir – ich hatte noch einige Wochen Zeit zum Nachdenken – allmählich realistischer und nicht viel weniger attraktiv als die italienische), ein Paß nach Wien wurde mir schlechterdings verweigert. Also zurück, wo ich hingehörte – das hieß, nach Berlin.

Wien! – Vielleicht wäre mein weiteres Leben ganz anders verlaufen, hätte es mich dorthin verschlagen. Bestimmt hätte ich Beethoven kennengelernt, vielleicht Raimund, womöglich, hätte ich lang genug gelebt, sogar Waldmüller und Nestroy. Die hübsche Umgebung hätte meiner Seele, das milde Klima meinem Körper wohlgetan. Und am Ende hätte ich mich nicht einmal mit dieser elenden Krankheit angesteckt, die mir später so sehr zu schaffen machte.

Aber was halfs! Mir war nur Berlin vergönnt. Was heißt da vergönnt? Es war über mich verhängt! – Verstehn Sie mich nicht falsch: ich habe dieser Stadt später noch viel abgewonnen. Aber damals, im Sommer 1807, war Berlin eine Strafe.

Die preußische Niederlage hatte es schwer getroffen. Der Brotpreis stieg täglich, der König hatte sich nach Memel abgesetzt, die zurückgebliebenen Untertanen tranken Kaffee aus Rüben. Ich hatte mir Unterstützung erhofft, ein Almosen, eine Art Überbrückungshilfe vom Staat.

Aber so schlau wie ich waren auch 7000 andere aus den von Napoleon befreiten Ostgebieten heimgeschickte Beamte.
Bettelbriefe, auch noch so schön abgefaßt, blieben erfolglos. Nur gut, daß ich Mischa und die Mädchen schon von Warschau aus zu ihrer Familie nach Posen geschickt hatte – dort waren sie versorgt. Ich wollte sie nachkommen lassen, sobald ich hier Fuß gefaßt hatte. Aber von Fuß fassen war überhaupt keine Rede.
Julius, der mit seiner Frau eine Buchhandlung aufgemacht hatte, die mehr schlecht als recht ging, half mir in der ersten Zeit aus. Das hatte ich bitter nötig – Pechvogel, der ich war, hatte man mir gleich nach meiner Ankunft im Hotel Adler meine ohnehin geringen Ersparnisse gestohlen. Doch auf die Dauer konnte mich Itzig nicht miterhalten. Seine Tante, Frau Levy, hielt einen bescheidenen Salon, in dem ich einflußreiche Menschen kennenlernen und für einen jungen Künstler günstige Verbindungen knüpfen sollte – darauf paßt ein Wort, das sie, die Tante, gern verwendete: nebbich. Die Menschen, die ich dort traf, waren nicht einflußreich genug. Und falls sie es doch waren, konnten sie nichts für mich tun. Wen sollten sie auch in Zeiten wie diesen wozu beeinflussen? Und gar in bezug auf mich! Herr Hoffmann? Wer ist das? – Ein Musiker, der in Warschau nicht unbekannt war? Auch als Zeichner begabt? Mit Bühnenerfahrung? Das alles trotz seiner Tätigkeit am Gericht? Ja, beachtlich. Aber ich bitt Sie, in Warschau!
So und nicht anders war das. Die Biographien künden von bedeutenden Bekanntschaften. Schleiermacher, Fichte, Varnhagen, Chamisso – hab ich die damals ken-

nengelernt? Ich weiß nicht! – Ich erinnere mich nur einer Reihe eher gesichtsloser Personen, die mir immer mehr auf die Nerven gingen. Ich mußte viel Rum mit Thee trinken, um die Konversation mit ihnen zu ertragen.
Und dann, natürlich, erinnere ich mich an Werner. Den inzwischen berühmt gewordenen Verrückten aus dem Königsberger Oberstock! Mit dem hatte ich schon in Warschau das etwas zweifelhafte Vergnügen gehabt. Zwar hielt er sich jetzt nicht mehr für den Heiland der Welt, aber für einen großen Dichter. Tatsächlich hatte er etwas zustande gebracht. ›Das Kreuz an der Ostsee‹. Ein ziemlich wirres Produkt! Soeben hatte er wieder ein Stück geschrieben. Und hatte die Gnade, michs illustrieren zu lassen. ›Attila‹ hieß es. Ich fand es erst recht nicht gut. Seisdrum – die Skizzen sollten mich nicht verraten. Doch meine Tarnung war, scheint es, nicht gut genug. Zacharias entzog mir den Auftrag und übertrug ihn einem gewissen Herrn Study – ich verfluchte beide.
Nichtsdestoweniger machte ich später noch den Fehler, Werner anzupumpen. Wissen Sie, was er mir antrug? Ein Billet zu seiner Premiere! Ich sagte, wie es mir ginge. Da nickte er wissend. Und riet mir, mehr an den lieben Gott zu denken!
Von dem allerdings hielt ich immer weniger. Am 22. August dieses bösen Jahres bekam ich einen Brief. Aus Posen.
Ich schnitt ihn mit freudigem Herzklopfen auf. Er enthielt die Nachricht, daß meine kleine Cäcilie gestorben sei. Ein plötzliches Fieber. Zuerst für harmlos gehalten. Dann ungeahnt steigend. Der Arzt war zu spät gekommen. Der Schmerz war zu groß. Nun lag auch Mischenka

krank. Angeblich schwer. Womöglich auch sie auf den Tod.
Ich sah mich – ich sehe mich – mit dem Brief in der Hand. Wie ich ihn weglege, wie ich mich anziehe, wie ich die Wohnung verlasse. Auf der Treppe redet mich die Hausfrau wegen der zwei Monate ausständigen Miete an. Ich hörte mich – höre mich – antworten, trat – trete – auf die Straße. Es war die Friedrichstraße, sie ist sehr lang. Ich sah mir – ich sehe mir – zu, wie ich gehe – ging. Der Tag war, obwohl Sommer sein sollte, sehr kühl, der Wind blies Sand von der Heide herein, ich verkniff die Augen. Doch weinen konnte ich erst in den Armen Theresas.
Sie hatte sich meiner seit Monaten angenommen. Sie war nicht mehr jung, aber sehr attraktiv für ihr Alter. Ein bißchen erinnerte sie mich an die Österreichische Kaiserin, deren Zweitnamen sie trug. Sir Ott hatte sie zwar als menschenfressende Hexe dargestellt, die böse Feindin des guten Friedrich, aber seit mir Tante Sophie einmal eine Miniatur von ihr gezeigt hatte, die sie in ihrer Kramschachtel aufbewahrte, schien sie mir protestantisch unterwiesenem Kind als eine Art von Schutzmantelmadonna. Theresas Gatte, ein hohes Tier der Verwaltung, war dienstlich im Osten. Sie war weich und warm, sie war gut und verständnisvoll, auch und besonders an diesem Abend. Zu ihr also ging ich, bei ihr also suchte ich Trost. Und – Kreisler – wohin denn sonst hätt ich gehen sollen? – Ich hatte doch sonst keinen Menschen in diesem Berlin! Ja, vielleicht Itzig und seine Frau, aber bei denen konnte ich mich nicht ausheulen. Bei Theresa konnte ich umfallen, an Theresa konnte ich mich festhalten, in Theresa konnte ich mich vergraben. Sie war die Mutter,

die mir abgegangen war, sie streichelte meinen Kopf, wenn ich an ihrer Brust lag, sie verzieh mir meine Existenz.

Hippel natürlich fand dieses Verhältnis empörend. Und hätte ich ihm (was ich wohlweislich nicht tat) auch von dieser Nacht geschrieben, er hätte mir seine Freundschaft gekündigt. Zwar konnte er Mischa (die er persönlich nicht kannte) nicht leiden, aber das hinderte ihn nicht, sich aus, wie er es nannte, prinzipiellen Gründen, zu ereifern. Die Antwort auf den Brief, in dem ich ihm meinen sogenannten Ehebruch gestanden hatte, kam erstaunlich prompt. Viel prompter, als jegliche Antwort auf andere Briefe. ›Wie sehr ich hier barer Hilfe bedarf‹, hatte ich ihm – nach schweren inneren Kämpfen – geschrieben, ›das kannst Du Dir wohl denken... Ist es Dir möglich, mir zu helfen, so schick mir etwa 20 Friedrichsdor... Gelingt es mir erst, Geld zu erwerben, so will ich darauf bedacht sein, wenigstens nach und nach meine große Schuld bei Dir abzutragen...«

Ja, er hatte mir vorher schon Geld gepumpt. Jetzt aber ließ er mich zappeln, Moral mußte sein! – ›Vor wenigen Tagen hatte mich der Mangel der notwendigsten Bedürfnisse halb wahnsinnig gemacht, und in diesem Zustand erinnere ich mich, Dir geschrieben zu haben ... Nein, ich lasse den Mut nicht sinken, da ich auf Dich bauen kann und die feste Überzeugung habe‹ etc.

Schließlich schickte er doch noch ein Geldcouvert. Und noch eins und noch eins. Dafür konnte man gewisse Mißverständnisse schon in Kauf nehmen. Mein Stolz – wissen Sie, er war trotz oder gerade wegen aller bis dahin erlittenen Demütigungen sehr entwickelt. Doch wenn man tagelang nichts als Brot zu essen hat, kann es geschehen, daß man seinen Stolz vorübergehend vergißt.«

Hier schwieg Kowalsky ein langes, erschöpftes Schweigen.

»Entschuldigen Sie«, sagte er endlich, »Sie werden vielleicht verstehen, daß ich müde bin; bringen Sie mich bitte nach Haus.«

Er wirkte jetzt älter als sonst. Beinah wie ein Greis.

Ich machte mir Sorgen. Gottlob stellte sich heraus, daß der Rückweg gar nicht weit war.

Als wir die Treppe hinaufgingen, wollte ich ihn stützen. Das ließ er nicht zu. »Nein danke. Es geht schon wieder!«

Er sperrte die Wohnungstür auf und ging mir voraus. »Wissen Sie, ich bin zäh. Ich halte was aus!«

Er bückte sich mühsam und streichelte seinen Kater. »Auch damals das habe ich ausgehalten. Sogar mit Erfolg. Zum mindesten mit Erfolg für die Literatur. Grad damals hab ich nämlich zu schreiben begonnen.

Hier in Berlin ist mir Ritter Gluck erschienen. Da scheint also doch etwas in der Luft zu liegen...«

Er lächelte tausendfaltig und zog sein Sakko aus. »Seien Sie nett und reichen Sie mir meinen Schlafrock!

... Ja, Ritter Gluck. Das war meine erste Geschichte: Ich sitze im Tiergarten bei Weber, und eine Promenadenkapelle macht eine gräßliche Musik. Und plötzlich – da sitzt ein Fremder bei mir am Tisch. Den quälen gewisse Oktaven genauso wie mich. Wir kommen ins Gespräch, er erweist sich als unglaublicher Gluckkenner, ich bin ebenso verwirrt, wie beeindruckt. Er verschwindet, ich treffe ihn wieder, er leidet am klingenden Euphon wie andere am Föhn. Und dann, bei der dritten Begegnung ... aber Sie kennen ja den Text... Ich will jetzt zu Bett gehn. Kommen Sie morgen wieder.«

ALS ICH an diesem Abend – gedankenversunken hatte ich Kowalsky verlassen – an der Station Anhalter Bahnhof auf die S-Bahn wartete, sah ich (Sie können sich denken, Professor, daß mir der Puls stockte!) *sie*, Julia, aus dem aus der Gegenrichtung kommenden Zug steigen. Diesmal bestand kein Zweifel, daß sie es war: Zotteljakke, Jeans und Stiefel – sie war genauso gekleidet, wie damals, als ich sie kennengelernt (oder wieder erkannt) hatte, und glich sich auch sonst, so weit ich das von einem Perron zum anderen feststellen konnte, aufs Haar. Während ich zu ihr hinüberstarrte und mein armes Gehirn nach einer – noch dazu blitzschnell zu entwickelnden – Strategie zermarterte, die es ihr unmöglich machen sollte, mir wieder zu entwischen, spürte sie offenbar meinen Blick. Eine (Schreck?)-Sekunde, dann lächelte sie und winkte mir zu.

Unglaublich! Wir trafen uns auf der Fußgängerbrücke.

»Hallo Johnny!« sagte sie, mich mit entwaffnender Selbstverständlichkeit auf den Mund küssend, »so ein Glück, daß du noch in Berlin bist! Warum hast du damals nicht gewartet auf mich? Einfach so sang- und klanglos zu verschwinden. Aber komm, hier ists zu kalt zum Reden!«

Mit diesen Worten hakte sie sich einfach unter und zog mich mit sich.

»Also um ehrlich zu sein, ich war ganz schön sauer! Bitte, hab ich gedacht, na denn eben nicht mehr! Am nächsten Tag hab ich weg müssen – du weißt ja, die Tournee, von der ich dir erzählt hab – aber gestern, wie ich zurückkomm, find ich deinen Paß!«

Überflüssig zu sagen, daß ich mich an keine Erzählung

von irgendeiner Tournee erinnerte. Aber zu Einwänden war ich fürs erste nicht fähig. Da war sie: ich sah sie, ich hörte sie, spürte sie, roch sie! Da hing sie an meinem Arm und schmiegte sich an mich!
»He! Was schaust du so? Willst du ein Photo von mir? – Apropos Photo! Der Paß muß dir ja auch schon abgegangen sein! Was hast du da gemacht?«
Ich murmelte etwas vom Generalkonsulat.
»Macht nichts«, sagte sie, »wirst du in Zukunft eben zwei Pässe haben. Das heißt: vorausgesetzt, daß du den ersten jetzt zurücknimmst...«
Mit diesen Worten blieb sie stehen, entzog sich mir sanft und fischte einen Schlüsselbund aus der Jackentasche.
»Jetzt hab ich dich aber« sagte sie, »noch gar nicht gefragt, ob du noch einmal zu mir magst.«
Wir waren nur wenige Schritte gegangen, und doch standen wir nun vor dem Haus, das ich ehemals so erfolglos gesucht hatte!
»Wir können uns natürlich«, sagte sie, »auch morgen Abend im ›Zwiebelfisch‹ treffen, für den Fall, daß du vor mir Angst hast.«
»Aber nein«, sagte ich, »ich hab keine Angst!«
(Das stimmte natürlich nicht. Nach allem, was geschehen bzw., so weit ich mich entsann, *nicht* geschehen war, war mir gerade ihre muntere Vertraulichkeit unheimlich.)
»Nein, ich hab keine Angst. Im Gegenteil!« (Letzteres stimmte trotzdem. Wie sehr sie mich anzog!)
»Nur – verstehn Sie mich recht: ich kenn mich nicht aus!«
»Mann oh Mann«, sagte sie, »jetzt sagt er auch noch Sie zu mir. Nein Johnny, wirklich!«
»Außerdem«, protestierte ich, »heiß ich nicht Johnny!«

»Also kommst du nun oder kommst du nicht?«
Was hätte ich tun sollen, Doktor? Ich ging endlich mit.
Und dann war ich wieder in jener Wohnung, die ich vor etwas mehr als einer Woche so fluchtartig verlassen hatte.
Wirklich, das gab es alles. Das war real.
Vorzimmer, Küche, Bad, das Zimmer mit den Musikinstrumenten; und sogar die Pyramide.
»Na«, sagte sie, »was gehst du herum wie auf Watte?«
»Dieses Klavier«, sagte ich, den Deckel öffnend und schließend, »hat es irgendeine Mechanik?«
»Klar Mensch!« Sie lachte. »Denkst du, es ist ne Attrappe? Englische Mechanik. Ist ein gutes Instrument. Erbstück von meiner Oma!«
Endlich (zum dritten Mal aufgefordert) setzte ich mich.
»Also«, sagte sie, »willst du was trinken? Magst du Musik?«
Ich nickte.
»Gluck?«
Ich zuckte zusammen. »Nein, danke!«
»Händel? Mozart?«
»Nein. Lieber etwas Modernes!«
Sie wählte eine New Wave Platte, die ich nicht kannte, und schenkte mir und sich je ein Glas Cognac ein.
»Na denn, Johnny, prost! Auf unsere uralte Liebe!«
Ich vergoß den Cognac beinahe.
»Wie meinst du das?«
»Also komm«, sagte sie. »Du bist ja ganz verstört. Jetzt erzähl mal, was du hast.«
Und ich erzählte, erst zögernd, dann immer befreiter. All das Rätselhafte, Verwirrende der vergangenen Tage, angefangen von ihrem Abschiedskuß am Morgen und mei-

ner Erinnerungslosigkeit bezüglich der vergangenen Nacht. Und seltsam: wie sie da, mit seitlich angewinkelten Beinen, zu meinen Füßen auf dem Teppich saß und mir zuhörte, so, als wäre das, war mir zumindest ungewöhnlich erschien, das Gewöhnlichste der Welt, da wich die Unheimlichkeit, die unser neuerliches Zusammentreffen, die Wohnung, ja sie selbst bis vor kurzem noch für mich gehabt hatte und wurde zur Heimlichkeit. Und noch bevor ich mit meinem Bericht zu Ende war, rutschte ich (halb zog sie mich, halb sank ich hin) hinunter zu ihr und ließ mich liebkosen.

»Da hast du dich«, sagte sie schließlich, »aber ganz schön in etwas hineingesteigert!«

»So?« sagte ich. »Und wie erklärst du das alles?«

»Manches braucht man gar nicht zu erklären«, sagte sie, »und der Rest erklärt sich ganz einfach. Unsere Nacht war sehr schön, auch wenn du damals offenbar zu viel getrunken hast, und was beispielsweise das von selbst spielende Klavier betrifft, so hat, nehm ich an, der Kater ein bißchen nachgeholfen.«

»Der Kater?«

»Natürlich. Murr!«

»Kowalskys Kater?«

»Das ist nicht Kowalskys Kater, das ist der meine. Das heißt, Kowalsky hat mir den Kater geschenkt. Vor Jahren schon. Ein entzückendes, wolliges Kätzchen!«

»Aber er ist doch bei ihm!«

»Dort ist er in Kost. Ich hab doch gesagt, daß ich weg war. Bis gestern abend. Mein kleiner Liebling! Ich habe schon richtige Sehnsucht! Ich mein – nach dem Kater. Ich werd ihn mir morgen holen.«

Sie können sich denken, Professor, daß mich diese einfachen Erklärungen (und vor allem, was sie behauptete, *nicht* erklären zu müssen) trotz erhöhter Streichelfrequenz nicht voll befriedigten.
»Und warum hat mir Kowalsky das nicht erzählt? Und warum macht er um dich und deine Adresse so ein Geheimnis?«
»Ach weißt du«, sagte sie, »Leszek macht sich gern wichtig. Und außerdem ... Aber darüber möcht ich nicht reden.«
»Was? Worüber? Warum?« Sie sollte erzählen! Aber sie ließ sich einiges einfallen, um meine diesbezügliche Neugier (oder war es was anderes?) abzulenken.
»Du, hör einmal«, sagte sie an meinem Hemd knöpfend, »mir ist so, na du weißt schon... Wollen wir nicht die Erinnerung an die Nacht, die du bedauerlicherweise vergessen hast, etwas auffrischen?«
Was soll ich sagen, Professor? Ich bin nicht aus Stein!
Sie war (oder schien mir) ein in dieser Hinsicht sehr komplexfreies Frauenzimmer, und über meinen seit der Trennung von Sophie nur schlecht und recht ertragenen sexuellen Notstand habe ich Ihnen ja schon geschrieben. Außerdem war mir Vergleichbares nie zuvor passiert. Daß sich (und wie sich) dieses junge Geschöpf mir so mirnichts dirnichts an den Hals warf, überstieg meine kühnsten Männerträume!
Erst in der Badewanne kam ich wieder zu mir.
Da saß sie mir gegenüber, schaumglitzernd – ein Geschenk des Himmels gewissermaßen, mit dem ich nicht mehr gerechnet hatte! Ich hätte das einfach genießen können – und doch ...

Irgendwas stimmte nicht an der ganzen Geschichte.
»Also erzähl von Kowalsky … von ihm und dir!«
Sie seufzte. »Na gut, wenn dus unbedingt wissen willst… Obwohl du es ja im Grunde genommen schon weißt… Wir sind uns sehr nahe gekommen … damals, in Bamberg.«
Professor, vielleicht finden Sie das komisch. Aber hier sprang ich aus der Wanne!
»Nanu?« sagte sie, »was hast du denn jetzt schon wieder?«
»Entschuldige, mir ist kalt.«
»Dann schlüpfen wir halt ins warme Bett.«
»Nein«, sagte ich, erneut, und zwar hastig, meine Wäsche zusammensuchend. »Sei mir nicht böse, aber ich glaube, ich schlafe lieber im Hotel.«

Ich schlief *nicht* im Hotel. Sie hielt mich zurück.
»Hör einmal«, sagte sie, mich halb Angezogenen nackt und naß umarmend, »du scheinst da Verschiedenes mißzuverstehn. Zwischen Hoffmann – ich meine Kowalsky – und mir … das ist zwar seltsam, aber vorbei, verstehst du? – Ich habe bemerkt, daß du ziemlich beunruhigt bist. Konfus über seine Hoffmannerzählungen, nichtwahr? Ich wollte dich da nicht noch weiter hineinmanövrieren. Aber du willst es ja durchaus wissen. Dann setz dich.«
Kowalsky, erzählte sie, kenne sie schon seit Jahren. Sie sei damals sechzehn gewesen, aus der Schule und von zu Hause ausgerückt, stracks nach Berlin getrampt.
Musik zu machen und nichts als Musik, das habe sie sich nämlich schon früh in den Kopf gesetzt. Aber natürlich hätten das ihre Eltern nicht akzeptiert: davon könne man

nicht leben. Mach erst die Schule zu Ende, erlern einen Beruf. Und dann, in der Freizeit, dann kannst du musizieren.

Blabla. Sie habe sich also einfach verdrückt. Und sei in Berlin herumgehangen, vorerst erfolglos. Geschlafen habe sie in Wohngemeinschaften oder bei Typen. Aber die Hoffnung, eine Gruppe zu finden, in der sie mitspielen konnte, habe sich noch nicht erfüllt.

Klar, sie habe auch damals fast nichts gekonnt. Bißchen Klavier, bißchen Blockflöte, bißchen Gitarre. Aber sie habe die Absicht gehabt, zu lernen. Und zwar durch die Praxis. Also sie suchte Connections.

Und dann, eines Abends, da sei sie auf eine Fête geraten. Irgendein Miesling habe sie mitgeschleppt. Langweilig war ihr, außerdem war sie schüchtern. Überdies war die Musik schlecht: sie wollte schon gehn. Doch da: »Da spürte ich plötzlich, daß jemand mich ansah. Ja, du kannst dirs schon denken, das war Kowalsky. Er sah mich so komisch an, so weit weg und doch nah. Aber ich dachte, was solls, und schaute zurück. So schauten wir eine Weile, er her und ich hin. Es war wie ein Spiel, oder nein, beinah wie ein Kampf. Ich weiß nicht, wie lang, vielleicht eine Viertelstunde. Wers länger aushält... Wir hielten es beide aus. – Und dann: dann kam er zu mir und umarmte mich. Ich sah, mußt du wissen, immer noch nur seine Augen. Du weißt es ja selber, was für Augen er hat. Sie sind wahrscheinlich das einzig Schöne an ihm. Wir unterhielten uns lange, ohne zu sprechen. Schließlich fragte er mich, wie ich heiße. Kitty. – Kitty, Käthchen? Ja! Er nickte. Das stimmt. Aber in Wirklichkeit heißt du Julia, nichtwahr? – Nicht, daß ich wüßte! – Er sagte: Das

weißt du nicht *mehr.* Oder *noch* nicht – Ich dachte: der hat sie nicht alle. Aber er war ... wie soll ichs erklären, er war ... Ja, er war so ganz anders als alle andern.
Der wollte nicht einfach bumsen, wo denkst du hin? Führte mich im Mondschein spazieren, redete von Liebe, schrieb mir Gedichte! Na, ich wußte nicht, wie mir wurde, ehrlich ... Und dann kam ich drauf, daß er Saxophon spielen konnte!
Von diesem Tag an hatten wir ein Verhältnis. Ein komisches übrigens, denn er berührte mich nicht. Ich meine: ich war (ganz streng genommen) noch Jungfrau. Aber so rumgefummelt hatten sie alle. Er berührte mich nicht, und ich wohnte bei ihm. Du, das gefiel mir. Ich fand das richtig erholsam. Außerdem brachte er mir das Saxspielen bei. Er selbst durfte zwar nicht (seine Lungen waren im Eimer), aber er erklärte mir, wies ging.
Und dann kam er mit seinem Hoffmannprojekt daher. Er spielte, das weißt du vielleicht, Theater und machte was fürs Fernsehn. Man ließ ihn nicht, wie er wollte, aber er hatte einen Traum. Einen Film drehen. Über E.T.A. Hoffmann! Und ich – ich sollte die weibliche Hauptrolle spielen. Julia. So. Da saß der Hase im Pfeffer. Ich sei nämlich, sagte er, die Idealbesetzung. Du, ich nahm das im Anfang doch gar nicht ernst! Aber damit lag er nicht nur mir in den Ohren. Damit zog er allen Medienmenschen den Nerv. Und hatte – besessen von dieser Idee – am Ende Erfolg. Fand sich ne risikofreudige Videofirma. Ich muß sagen, ich war beeindruckt von ihm. Und noch etwas mehr davon, wie er *mich* protegierte. Die wollten natürlich ne richtige Schauspielerin. Aber Kowalsky blieb eisern. Mit mir oder gar nicht. Also holten sie mich

zu Probeaufnahmen. Sie nickten, sie wiegten die Köpfe, sie diskutierten. Ich mußte mich ans Klavier setzen, klassisch klimpern. Daß ich das konnte, gab, glaub ich, schließlich den Ausschlag.«

Zwei Monate später sei man nach Bamberg gefahren. (Der Film sollte nämlich ›Hoffmann in Bamberg‹ heißen). Kitty beschrieb ihre Stimmung während der Fahrt. »Angetörnt«, sagte sie, »unheimlich aufgedreht.« Sie unter all den Fernsehfritzen, phantastisch! Und unter den Schauspielern, selbst eine Schauspielerin! (Sie sei damals immer noch knappe Sechzehn gewesen). Aber in Bamberg sei alles schief gelaufen...

Warum? Naja, erstens agierte Leszek dort wie ein Hollywoodregisseur. Bestand zum Beispiel darauf, daß in der Umgebung der Drehorte sämtliche Oberleitungsdrähte und Fernsehantennen abmontiert wurden. Obwohl ihn der Produktionsleiter beschwor, einfach kleinere Bildausschnitte zu nehmen. Keine Chance. Er hielt sich bei diesen Film für die einzig kompetente Autorität. Und zweitens? Das eben war der springende Punkt. Abgesehen davon, daß er plötzlich auf jeden eifersüchtig war, der freundlich mit ihr redete, brachte er sie, die sich bis dahin für stocknormal gehalten hatte, an den Rand des Wahnsinns. Er habe ihr nämlich nicht nur einzureden versucht, daß er (der natürlich auch die männliche Hauptrolle spielte) der reinkarnierte Hoffmann, sondern auch daß sie, die er zum Unterschied von den andern Kollegen in diese Zusammenhänge einweihte, die reinkarnierte Julia sei. Sie habe das anfangs für einen Witz gehalten, aber, je öfter er ihrs wiederholt habe, und je länger die Dreharbeiten, deren Vorankommen er übrigens mit einer Detailmanie sondergleichen behindert habe (›Nein, *so* war das nicht‹, habe er immer wieder, als erinnere er sich an etwas tatsächlich Geschehenes, gesagt, ›das war *so* und *so*‹), je länger die Dreharbeiten also gedauert hätten, desto unsicherer sei sie ihrer selbst geworden.

Erst habe sie, Debutantin, die sie war, zwar noch Schwierigkeiten gehabt, Kowalskys rigorose Regieanweisungen entsprechend zu befolgen. Aber nach und nach (und das habe ihn, wie ich mir denken könne, begeistert) habe sie agiert wie in Trance. Schließlich habe sie sogar über den Drehbuchtext hinaus phantasiert, was Julia Marc gesprochen haben könnte. Oder (so Leszek) was sie gesprochen *habe*.

»Und dann? fragte ich, da sie schwieg und die Augen schloß. (Wir lagen nun wieder der Länge nach auf dem Teppich).

»Und dann?« sagte sie. »Dann habe ich Angst gekriegt. Angst, nicht mehr aus der Rolle herauszufinden.«

»Warst du in ihn – ich meine Kowalsky – verliebt?«

»Ach weißt du, diese Julia...«

»Nicht diese Julia. Kitty.«

»Das läßt sich nicht trennen. Also Julia Marc. Sie war nicht verliebt. Aber irgendwie ... hypnotisiert.«

»Ja?«

»Er hat ja nicht großartig ausgesehn. Und außerdem war er entschieden zu alt für sie. Aber daß *er* – E.T.A. – sie so ... poetisiert hat. Also das hat schon seine Wirkung gehabt. Ich meine: ich war: sie war – ein sehr junges Mädchen. Manchmal ist er ihr nur komisch vorgekommen, dieser kleine vogelnäsige Mann mit seinen großen Ge-

sten... Aber wenn er sie so ganz aus der Nähe (er war etwas kurzsichtig) angeschaut und ihre Hand genommen hat... Mein Gott, da ist sie sich manchmal schon wie etwas ganz Besonderes erschienen...
Und außerdem, hör mal ... er hat nicht nur meine Hand genommen. Ich meine Leszek. Also in Bamberg nicht mehr. ›So lang hab ich‹, hat er gesagt, ›auf dich gewartet. *Meine* Julia. Mehr als ein Leben lang. Komm, du mußt keine Angst haben‹, hat er gesagt. Und hat mich zu küssen begonnen. Von oben bis unten. ›Erinnerst du dich, mein Engel, erinnerst du dich?‹ Und ehrlich, Johnny, da *habe* ich mich erinnert.«
»Und?« fragte ich, »hast du trotzdem wieder aus dieser Rolle herausgefunden?«
Sie zuckte die Achseln. »Ich hab es zumindest versucht. Hab meine Sachen gepackt und wollte Hals über Kopf aus Bamberg abreisen. Aber da hatte die Firma ohnehin schon die Geduld verloren und das ganze Team zurückgepfiffen.«
Sie lächelte. »So. Und jetzt weißt du alles. Beinahe.«
»Beinahe?«
Nun lachte sie. »Ja. Beinahe genügt.«
»Und der Film?«
»Ist unvollendet geblieben. Wenn es dich interessiert, kannst du das Drehbuch lesen – ich hab es noch irgendwo im Schreibtisch.«
Natürlich, Professor, interessierte mich das.
Aber *sie,* Julia, Kitty, war jetzt wieder drauf und dran, mein Interesse abzulenken. Streifte den Bademantel, den sie zuerst übergeworfen hatte, ab, und lotste mich zum Bett. Und obwohl mir (ich war so viel des Guten nicht

gewöhnt) der Schweiß ausbrach, war sie danach (so schien mir zumindest) zufrieden, mit Sicherheit müde und hatte keinen Sinn mehr für die Beantwortung weiterer Fragen.

Ich aber lag noch die halbe Nacht lang wach.

An die Stelle der Rätsel, die mir durch ihre Erzählung (wenn auch nur mehr oder minder) erklärt schienen, war ein neues getreten. Professor, zumindest in dieser Hinsicht war ich noch immer ein realistischer Mensch. Warum um alles in der Welt hatte sie an mir altem Narren einen derartigen Narren gefressen? Da lag sie und schlummerte friedlich in meinem Arm. Was war ihre Motivation? Was wollte sie von mir? – Als ich dann endlich einschlief, träumte ich schlecht. Kowalsky stand an der offenen Tapetentür, hielt ein Funkgerät in der Hand, und unten in der Schutthalde tanzte Kitty wie die Puppe Olympia.

AM FOLGENDEN Morgen mußte Julia (ich meine Kitty) in irgendein Tonstudio. Aber bevor sie ging, erinnerte ich sie an das Drehbuch. »Ach ja«, sagte sie und kramte (schon glaubte ich, daß sie es nicht mehr finden würde) abenteuerlich tief in ihrem Schreibtisch. »Da ist es. Du kannst es behalten. Ich brauch es nicht mehr.«
Das ist der Grund, Professor, wieso ich es habe. Immer noch habe. Auch das. Es liegt neben mir. An sich ist es wertlos (eine Photokopie ohne handschriftliche Anmerkungen). Aber aus sozusagen sentimentalen Gründen trenne ich mich trotzdem ungern davon und tippe Ihnen zwei Seiten von dem, was ich damals zu lesen begann, zur Information einfach ab:

Hoffmann in Bamberg
Szenario
von Leszek Kowalsky

1/ Außen. Tag.
Freie, karge Gegend. Heidekraut windbewegt; Sand, aufgewirbelt; Himmel hoch und schwarz.
Aus der Ferne nähert sich eine Postkutsche. Stimme aus dem Off:

Ich heiße E. T. A. Hoffmann.
Ich bin eine verkrachte Existenz.

2/ Außen. Tag.
Die Postkutsche näher und nah.

Bis über mein 30. Jahr
trotz künstlerischer Neigungen, Talenten und Erfahrungen
zum inadäquaten Dasein eines Aktenmenschen gezwungen,
vom Geschick nicht begünstigt
und durch die Zeit geschädigt
letztlich
so gut wie am Ende
im kriegskranken Berlin,
habe ich unerwartet
noch eine Chance.

3/ Innen. Tag.
In der Postkutsche.
Hoffmann und seine Frau Mischa.
Hoffmann lesend:

... freue mich also
Ihr Engagement als Musikdirektor
durch beigefügten Kontrakt
fixieren zu können,
und erwarte Sie
mit 1. September 1808
an hiesigem Theater.

(Hoffmann umarmt seine Frau).

4/ Außen. Tag.
Bamberg.
Kirchen, das bischöfliche Palais,

Fachwerkbauten, bemalte Fassaden.
Hoffmann (wieder aus dem Off):

Jetzt wird alles gut.

»DIE VERHÄLTNISSE in Bamberg«, sagte Kowalsky am Abend (er trug, zum ersten Mal seit er mir seine, das heißt Hoffmanns, Geschichte nach seiner Fasson zu erzählen begonnen hatte, wieder den nachtblauen Schlafrock, er habe sich, sagte er, gestern zu sehr erhitzt, fühle sich verkühlt und habe keine Lust, auszugehn) »die Verhältnisse in Bamberg waren jedoch leider etwas anders, als von mir und Mischa erhofft. Graf Soden, mit dem ich korrespondiert hatte, war nach Würzburg übersiedelt und hatte nicht allein die Regie, sondern das ganze Theaterunternehmen einem gewissen Heinrich Cuno übergeben, der uns weder erwartete, noch viel vom Theater verstand, aber davon später. Die Wohnung, die man für uns reserviert hatte, war eine Zumutung, klein, und da ebenerdig direkt an der Regnitz gelegen, feucht, ich erkundigte mich, unter Hinweis auf meine rheumatische Disposition, sofort nach einer anderen. Schließlich gelang es mir, anderthalb Stockwerke eines schmalen, freundlichen Häuschens auf dem Theaterplatz, dem Theater selbst schräg gegenüber, zu mieten, der Besitzer war ein Musiker namens Warmuth, der im Orchester, das ich betreuen sollte, Trompete spielte«.

Hier muß ich Ihnen, Professor, etwas gestehen. Ich hörte, Sie können sichs denken, Kowalskys Erzählung mit anderen Ohren, als bisher. Doch ich empfand, obwohl ich mich untertags, nach Lektüre des Drehbuchs aus Kittys Wohnung ins Hotel zurückgekehrt, und dann, umgezogen, wieder einmal allein, weitab von Hoffmanns Bezirk, durch die nüchterne Stadt Berlin streunend, zwischendurch Crêpes essend, Bier trinkend, einen halbwegs vernünftigen Brief an Sophie schreibend und sogar

– was ich seit Tagen nicht getan hatte – eine Zeitung lesend, ich empfand, obwohl ich mich vorerst befreit gefühlt hatte wegen der nunmehr doch mehr oder minder rationalen Erklärbarkeit dieser ganzen Geschichte, dieses ganzen Geschichtenerzählens, nun etwas wie – ja etwas wie Enttäuschung. Im Lauf dieser letzten, verrückten Woche hatte ich mich, trotz allen anfänglichen Widerstands, schließlich darauf eingestellt, wirklich dem reinkarnierten Hoffmann zuzuhören, war mehr und mehr auf und in seine Erzählungen hineingefallen; die Welt, in der ich lebte, in der wir leben, hatte mannigfachere Schichten, als ich bis dahin angenommen (resigniert akzeptiert) hatte, war tiefer und höher erschienen: nun war der Boden der Tatsachen, auf dem sich alles abspielte (und darunter oder darüber spielte sich nichts ab) wieder so flach wie eh und je.

Warum war ich überhaupt noch einmal hergekommen? Und warum saß ich jetzt hier und ließ diesen Kowalsky, einen, wie ich ja anfangs richtig vermutet hatte, simplen, wenn auch ungewöhnlich phantasievollen Psychopathen, reden und reden, als ob sich seine Erzählung nicht inzwischen erübrigte? Die Erzählung einer Semidokumentation über den nun doch mausetoten Romantiker E.T.A. Hoffmann, mit dem er sich, weiß der Teufel warum, bis an den Rand der Identifikation (und manchmal darüber hinaus) beschäftigt hatte? Zu der man ihn Probeaufnahmen hatte machen lassen, wobei dann (das war alles sehr unromantisch) seinen Geldgebern Geld und Vertrauen ausgegangen war – und womöglich war er erst infolge dieser der großen Enttäuschung seines Lebens endgültig in seine Hoffmann-Rolle hineingeklappt? In mir hatte er einen Dummen gefunden, der sie ihm, wenn auch nur für wenige Tage, abnahm. Aber wie lang sollte ich mir seine Geschichten noch anhören, die Maskerade, in der er sich wieder gefiel, ja auch und vor allem die sprachliche Maskerade schien mir nun allzu durchschaubar und (um einen negativen Lieblingsausdruck des originalen Hoffmann zu verwenden) abgeschmackt. Sicher, da gab es noch einiges, was ich klären wollte, aber dazu brauchte, ja durfte ich diesen Pseudohoffmann nicht weiter fabulieren lassen. Und doch ließ ich ihn, verschob meine Attacke auf seinen Spleen von Satz zu Satz, hörte nach wie vor zu.

Wie er (das heißt Hoffmann) trotz der katastrophalen Verhältnisse am Bamberger Theater dortselbst seine Arbeit als Musikdirektor aufnahm. Wie schlecht er jedoch mit seinen ›Enthusiasmus für die wahre Kunst‹ sowie seinen Vorschlägen und Plänen zur Behebung der Misere ankam. Wie er dementsprechend schon nach zwei Monaten (nach einem Streit mit Cuno, ich erinnerte mich der Szene aus dem Drehbuch: Hoffmann nannte H. C. einen unpoetischen Wurm) sein Musikdirektorat verlor (er sagte: aufgab). Und wie er von da an als Komponist von Gelegenheitsstücken (z. B. Märschen und Chören in Schauspielen, was halt anfiel) monatlich dreißig Gulden erhalten sollte, aber (Cuno vertröstete ihn unter Hinweis auf die sich nur sehr allmählich füllende Theaterkasse) nicht erhielt. Ein Graf von Seckendorf, der einzige an den er, abgesehn vom abwesenden Soden, empfohlen war, wußte ihm keinen besseren Rat, als daß er sich in Bamberg als Advokat niederlassen möge (mit welchem Kapital?). Der Hoffmann im Drehbuch zog sich höflich buckelnd zurück, spuckte jedoch, sobald die gräfliche Tür hinter ihm zugefallen war, in Großaufnahme auf die kleine Freitreppe. Zu Hause saß er, die Ellbogen auf den Tisch gelümmelt, Gesicht in die Hände vergraben. Mischa, die gute, tröstete ihn, indem sie ihr, entgegen aller Überlieferung, keineswegs prall gespanntes Mieder öffnete (sie hatten nicht viel zu essen), aber die Ersparnisse schwanden trotzdem. Doch dann hatte Hoffmann Glück und geriet in die sogenannte gute Gesellschaft. Er lernte, im Gasthaus zur Rose räsonnierend, einen gewissen Stengel kennen (Freiherr von, Generalkommissar), der ein Musikkenner war und sich für den kuriosen kleinen, etwas von Beethovens Instrumentalmusik faselnden Betrunkenen interessierte. Am nächsten Tag erschien der Herr Musikdirektor a. D. mit von Mischa auf Hochglanz geputztem Rock (es war sein einziger) im Stengelschen Salon. Und da er sich sowohl bei der Konversation als auch und vor allem beim Vorspielen am Pianoforte zusammennahm, erhielt er, von Stengel protegiert, »alsbald in den ersten Häusern als Singemeister Zutritt.« Im gräflich Rothanschen Hause durfte er (»mußte ich«, sagte Kowalsky) fünf Komtessen im Gesang unterrichten. Daß er sich (»daß ich mich«, sagte Kowalsky) da vor allem als Hahn im Korb gefühlt habe und diese Tätigkeit nicht als beschämend, sondern gar als bestätigend empfand, »dieses unsinnige Gerücht kann nur glauben, wer ›Johannes Kreislers, des Kapellmeisters, musikalische Leiden‹ nicht oder nur oberflächlich gelesen hat. Es stimmt schon, daß mich eine gewisse Sorte sehr junger Mädchen (mein nachgeborener Kollege Nabokow, dessen Bücher mich recht amüsiert haben, hat sie als

Nymphchen bezeichnet) vor allem nach dem Tod meiner Tochter, wie soll ich sagen, rührte und aufregte. Aber die Rothan-Comtessen waren keine Nymphchen, sondern Gänse, noch dazu rettungslos unmusikalisch und weder körperlich noch seelisch (was sich für mich übrigens nicht trennen läßt) mit meiner Julia vergleichbar.«
Julia. Endlich. Julia war mein Stichwort.
Hatte ich bisher Scheu empfunden, Kowalsky zu unterbrechen, ja hatte er mir, wie er sich, gerade in dieser doch wohl aussichtslosen Situation, Mühe gab, bis in jedes Fältchen Hoffmann zu mimen, leid getan, so löste die Art, wie er (mit diesem Besitzanspruch!) auf Julia zu sprechen kam, bei mir die zur Beendigung des ganzen Melodrams benötigte Aggression aus.
»Apropos Julia«, sagte ich. »Apropos Kitty.«
»Ja«, sagte Leszek Kowalsky. »Ja, ich weiß.«
»Was?«
Er lächelte traurig und abgeklärt: »Alles.«
»Was *alles?*«
»Na alles. Kitty war mittags da. Sie hat – Sie habens wahrscheinlich bemerkt – ihren Kater geholt. Und hat mir erzählt, daß sie Ihnen alles erzählt hat.«
Professor, da wußte ich nicht, was ich antworten sollte.
»Ich nehme an«, sagte Kowalsky nach einer langen Pause, »daß Sie meinen Geschichten jetzt nicht mehr entsprechenden Glauben schenken. Ich nehme an, daß Sie heute Abend in erster Linie gekommen sind, um mir ade zu sagen. Aber bevor Sie das tun, möchte ich Sie noch um etwas bitten.«
Ich murmelte etwas in dem Sinn, daß er mich nicht mißverstehen solle. – Seltsam, obwohl ja die Rollenvertei-

lung eher umgekehrt war, fühlte *ich* mich ertappt.
»Kitty und ich ...«
Er sagte: »Jaja, schon gut... Aber auch Sie sollen mich nicht mißverstehen: deshalb möchte ich Sie bitten, bevor wir uns endgültig voneinander verabschieden, den Film, dessen Drehbuch Sie nun wohl gelesen haben, mit mir anzusehen.«
Ich war (zum *wie*vielten Male?) von ihm überrascht.
»Geht das denn? Aber ... er ist doch nicht fertig geworden!«
»Ach was, fertig geworden!« sagte er fast unwillig. »Der Film ist ein Fragment! – Wie jedes lebendige Kunstwerk! Wie jedes Leben!«
»Und wie ist es möglich, den Film zu sehen?, und wo?«
»Wissen Sie«, sagte Kowalsky, »ich hab da einen Freund. Er heißt ... doch das tut nichts zur Sache ... jedenfalls hat er ein kleines Videostudio. Wenn Sie morgen noch einmal zu mir kommen und mich zu ihm begleiten wollen, können wir ›Hoffmann in Bamberg‹ anschaun«.

»NEIN«, SAGTE Kitty, »bitte geh dort nicht hin!«
»Aber warum nicht?«
Sie sagte: »Es wäre nicht gut. Für dich nicht, für mich nicht, wahrscheinlich nichtmal für Leszek. Dieser Film ... es ist besser, ihn ruhen zu lassen«.
»Aber du hast mir doch selbst das Drehbuch gegeben...«
»Das ist etwas anderes«, sagte sie leise, »das lebt nicht... Aber der Film, dieser Film ... da ist *etwas von mir* drin ... und *etwas von Hoffmann* ... das soll man nicht wiedererwecken.«
Professor, es ist nicht so, daß ich Kittys Einwände einfach nicht ernstnahm. Anderseits wollte ich, gewissermaßen auf dem Weg der Ernüchterung, gerade solche doch etwas mystisch klingende Argumente nicht akzeptieren.
»Schau«, sagte ich, »es ist ja nicht meinetwegen. Aber ich hab es Kowalsky zum Abschied versprochen.«
»Gut«, sagte Kitty sehr kurz und knipste das Licht aus.
»Aber ich liebe dich«, sagte ich, »gern bei Licht.«
»Nein, bitte«, sagte sie, »heute will ich nur kuscheln.«
Im Dunkeln umklammerte sie mich so, daß mir, abgesehn vom Gehirn, das wieder lang nicht zur Ruhe kam, alles einschlief.

DAS VIDEOSTUDIO sah von außen nicht aus wie ein solches Studio. Zu meiner Überraschung betraten wir einen Laden, in dessen Schaufenstern Scherz- und Zauberartikel (Papierschlangen, Pappzylinderhüte, Plastikmasken diverser Ungeheuer, phosphoreszierende Totenköpfe, künstliche Damenbeine etc.) angeboten wurden. Drinnen begrüßte uns ein in einem großen, mit Goldfarbe angestrichenem Käfig sitzender Papagei. »Lahui!« schrie er kreischend und dann: »Il maestro non è qui!« Das stimmte indessen, wie sich herausstellte, nicht. Denn kaum hatte der Vogel das gekreischt, tauchte aus einer Tür hinter dem Verkaufstisch ein alter Mann auf. Sein graues Haar reichte bis an die Schultern, sein zerklüftetes Gesicht erinnerte an das eines alten Indianers. »Warum lügst du schon wieder, Giacomo?« sagte er blinzelnd, »natürlich bin ich da!«
Dann drückte er Leszek Kowalsky und mir die Hand. Obwohl er uralt wirkte, tat sein Händedruck weh. »Ich höre«, sagte er kichernd, »Sie möchten den Film sehn. Wie Sie wollen, aber ich übernehme keine Haftung, es geschieht auf eigene Gefahr!«
»Lahui!« schrie der Papagei. »Nicht doch«, sagte Kowalsky. »Mach unsern Gast nicht unsicher, Abi, ich bitt dich. – Sie müssen wissen«, sagte er zu mir gewandt, »mein Freund neigt zu Witzen. Aber er meint sie nicht wirklich bös. Nur sarkastisch.«
»Schön«, sagte der Alte. »Gehen wir also hinunter.« Er führte uns durch eine Art von Depot, in dem, so weit ich das im Halbdunkel ausnehmen konnte, Wachsfiguren standen, und dann, nachdem er eine jämmerlich quietschende Metalltür geöffnet hatte, eine bei jedem Schritt

hohl tönende Wendeltreppe abwärts. Endlich drehte er Licht auf (der Schalter hing, allen Sicherheitsvorschriften zum Hohn, an einem nur schlecht und recht mit Isolierbändern an die Wand geklebten Draht). Doch in dem Kellerraum, den ich jetzt überblicken konnte (unverputzte Wände, Rohrleitungen, in der Ecke einige, allem Anschein nach mit Videobändern gefüllte, hochkant gestellte Obstkisten) gab es tatsächlich drei TV-Monitoren.
»Ja, also«, sagte er, »die Kassetten sind eingelegt. Teil 1, Teil 2 und Teil 3. Ihr findet euch zurecht?«
»Natürlich«, sagte Kowalsky, »ich dank dir, Abi.«
»Keine Ursache«, sagte der Alte. »Wünsch gute Unterhaltung.«
Mit diesen Worten zog er sich kichernd zurück.
»Ein komischer Kauz«, sagte Leszek Kowalsky, »nichtwahr?«
Ich nickte wortlos.
»Aber der beste Mensch... Doch das nur nebenbei. Sie wollten den Film sehn!«
Wollte ich wirklich, Professor? Ich weiß es selbst nicht. Am Abend zuvor hatte ich nicht nein sagen wollen. Kittys Warnung war mir auch nicht Grund genug gewesen, das Rendezvous einfach abzublasen oder zu vergessen, aber jetzt... Abgesehen von den doch etwas, Sie werden mir beipflichten, ungewöhnlichen Voraussetzungen und Begleiterscheinungen dieser Filmvorführung fühlte ich mich (wenn ichs recht überlegte) erneut überrumpelt. Kowalsky jedoch wartete nicht auf meine Einwände, rückte mir einen Sessel in die Kniekehlen und schaltete das erste Gerät ein.
Was folgte, war erst eine Blauphase, dann ein rotweiß ge-

streiftes Fräulein, offenbar das Scriptgirl, mit einer Schiefertafel. Darauf stand mit Kreide: HOFFMANN IN BAMBERG, I. Klappe. Die Heide, der wirbelnde Sand und der Himmel. Näherkommend die Postkutsche. Hoffmanns Stimme. HOFFMANN IN BAMBERG, II. Die Postkutsche nah. Diese Einstellung gab es mehrere Male. HOFFMANN IN BAMBERG II, Nr. 1 – 4. Dann HOFFMANN IN BAMBERG III. Jetzt kam Hoffmann ins Bild.

Das heißt, Kowalsky. Etwa fünf Jahre jünger. Mehr Haare, Koteletten, ganz auf Hoffmann geschminkt. Kastanienbrauner Frack, etwas abgeschabte Kniehosen. Mischa an seiner Seite, eine hübsche, herzgesichtige Frau mit brünetten Empirelöckchen. Ihre Augen strahlten vor Gutartigkeit. Ihr Mann las soeben den Brief des Grafen von Soden. »Freue mich also, Ihr Engagement als Musikdirektor durch beigefügten Kontrakt etc.« Hoffmann umarmte Mischa. »Jetzt wird alles gut.«

Dann fuhr man bereits durch die Stadt, ganz drehbuchgemäß. Wie die Kutsche über eine Brücke rollte, wie Hoffmann und Mischa aus dem Fenster schauten, wie die Kutsche hielt. Wie Mischa aus der Kutsche stieg, wie Hoffmann sich mit dem Gepäck plagte, wie er den Kutscher bezahlte. Und wie sie dann auf dem Platz standen, ziemlich verloren zwischen Koffern und Taschen, im Hintergrund das Theater.

So weit (und noch weiter) überraschte mich nichts. Die Szenen waren recht ansprechend, wenn auch mit einer gewissen bemüht wirkenden Akribie gedreht, die Schauspieler (auch Kowalsky) agierten wie Schauspieler; was ich sah, war ein ganz gewöhnlicher, wenn auch teilweise

ungeschnittener TV-Film. Die beklommene Stimmung, in die mich das etwas merkwürdige Auftreten des Studiobesitzers sowie das nicht minder merkwürdige Ambiente seines sogenannten Studios versetzt hatte, verflog. Ich würde, wie ausgemacht, Kowalsky den Gefallen tun, mir seinen gewiß nicht uninteressanten Film zu Ende (das heißt, bis wohin er halt reichte) anzusehn, und mich dann – ich muß sagen, daß mich die Aussicht darauf nun doch erleichterte – von ihm verabschieden.
Aber da trat etwas ein, das mich irritierte. Der komische Alte kam die Treppe herunter und hantierte, ebenso unmotiviert wie vorher in sich hinein kichernd, an der Rückseite des Monitors. »Aber E.T.A.«, sagte er, »was bist du nur für ein technisch unbegabter Mensch! So kommt doch dein Film gar nicht zur Geltung. Du vergißt die spezielle Feinjustierung!«
Professor, was soll ich sagen, von da an war der Film ganz anders. Oder er kam mir zumindest ganz anders vor. Er hatte – wie soll ichs beschreiben – eine besondere Plastizität. Alles schien näher da und, ja – wirklicher als zuvor. – In Bamberg hatte sich Hoffmann inzwischen als Außenseiter etabliert. Komponierte und dichtete nicht unironisch für ein Geburtstagsfest der Prinzessin von Neufchâtel. War gern gesehener, leidenschaftlich über Mesmerismus diskutierender Gast bei den Arztfamilien Marcus und Speyer. Las mit Genugtuung seine ersten Publikationen in der ›Leipziger Musicalischen Zeitung‹ und lernte in Kunz (Carl Friedrich) einen unternehmungslustigen Weinhändler kennen, der später um seinetwillen Verleger wurde.
Und nun hielt er sozusagen Jour fixe im Gasthaus zur

Rose. Seine Alleinunterhalterqualitäten hatten sich herumgesprochen, er saß – die Kamera fuhr langsam auf ihn zu – am Kopfende eines langes Tischs und gestikulierte großräumig. Und da (vielleicht lag es auch an der besonders gelungenen Kamerafahrt) fühlte ich mich – zuvor war von Magnetismus die Rede gewesen –, als hätte mich die Kamera mitgezogen und ich säße nicht mehr draußen, vor dem Fernsehschirm, sondern drinnen, im Bild. Der Film war kein Film mehr, die Schauspieler keine Schauspieler, Kowalsky war Hoffmann.

Rechts neben Hoffmann saß Kunz, dann Marcus, dann ich. »Ist er nicht köstlich?« sagte der mir vis à vis sitzende Speyer ganz offensichtlich an mich gewandt, mir blieb die Antwort im Hals stecken. »Natürlich bin ich köstlich«, sagte Hoffmann, die mir nähere Braue hochziehend, »he Sie dort, wer sind Sie überhaupt, warum bestätigen Sie den Herrn und damit indirekt mich nicht? Glauben Sie etwa, ich spiele hier für nichts und wieder nichts den Hoffnarren? – Übrigens trifft die Bezeichnung Hofnarr nicht zu. Die Höfe von heute reizen mich nicht, aber sagen Sies nicht weiter. Wahrscheinlich hätten mich auch die von gestern nicht gereizt, geschweige denn die von vorgestern. Also bin ich gewissermaßen ein freischwebender Narr, eine Art Nachfahre des von mir sehr verehrten großen Till Eulenspiegel. – Oder ein Vorfahre einer Art Narren, dies noch nicht gibt. Ein wandelnder, essender, trinkender, liebender, hassender, musizierender, schreibender Anachronismus, verstehn Sie mich richtig. Einer, der merkt, wie befremdlich das ist, was andern vertraut scheint.

Und der sich nicht zuhause fühlt, wo sich andere häuslich

niederlassen, die breitärschigen Philister!«
Hier griff er nach seinem Becher und trank ihn aus. Jemand am andere Ende des Tisches lachte. »Was gibts da zu lachen?« Hoffmann war plötzlich gereizt. »Das ist nicht komisch, mein Herr, sondern eigentlich tragisch! – Um noch einmal auf Eulenspiegel zu kommen: kennen Sie die Geschichte von ihm und den Rompilgern? Die waren fröhlich, wenn es bergab, und traurig, wenn es bergauf ging, bei ihm war das konträr. Er und seinesgleichen – also meinesgleichen – leiden gewissermaßen an einer Weitsichtigkeit der Seele. Verstehen Sie, was ich meine? Nein. Also schenken Sie mir schon nach, Kunz!«
Professor, ob Sies nun glauben oder nicht, in dieser Szene war ich ganz drin! Um wieder herauszukommen, hätte ich sozusagen vom Tisch aufstehn und weggehen müssen, aber das brachte ich, zumal mich, wenigstens hatte ich diesen Eindruck, Hoffmann immer wieder ansah oder zumindest im Augenwinkel behielt, also das brachte ich nicht fertig. Und dann, knapp bevor die Passage zu Ende war, zwinkerte er (ich schwör es!) ja zwinkerte er mir zu. »Aber wie ist das möglich?« fragte ich Kowalsky, als endlich das Scriptgirl wieder auftauchte, »das steht doch nicht im Drehbuch?!« Ich meinte den Monolog. Er lächelte listig. »Einiges«, sagte er, »ist uns spontan gelungen. Inspiration, mein Lieber, jaja, das gibt es. Aber warten Sie erst auf die Julia-Szenen!«
Und wirklich, er hatte mir nicht zu viel versprochen. Zwar blieb mir, bis Julia, ich meine Kitty, ins Bild kam, noch eine Verschnaufpause, in der Hoffmann seine Arbeit am Bamberger Theater (Cuno hatte endgültig bankrott gemacht) unter der Direktion des ihm seit seinem er-

sten Berliner Aufenthalt verbundenen Franz Holbein wieder aufnahm (Hans Dampf in allen Gassen, der er war, zu gleicher Zeit als Direktionsgehilfe, Regisseur, Dramaturg, Bühnenarchitekt und Dekorateur engagiert, allerdings mit dem Salair eines Einzelnen!) und zum – wenn auch sozial etwas zwielichtigen – Stargast im sogenannten künstlerischen Salon der Konsulin Marc avancierte, aber dann war es soweit. Die vor allem von hinten gesehn etwas zu voluminöse Dame hatte zwei von allen Seiten schlanke Töchter. Fanny, die Ältere, war, schon etwas weiblicher geformt, zu diesem Zeitpunkt wohl auch die Attraktivere, aber Julia – Julia Marc war hochmusikalisch.
Wie soll ich, Professor, Kittys stupende Wirkung in dieser Rolle beschreiben? Vorerst agierte sie noch etwas unbeholfen. Aber das paßte: erst in den letzten Jahren, vielleicht sogar Monaten, aus der gewohnten kindlichen Selbstverständlichkeit geraten, war sie (wie Julia) ihrer selbst nicht mehr (oder noch nicht) sicher. Man hatte ihr gesagt, daß sie hübsch sei, oder sich zumindest auf dem besten Weg befand, es zu werden – sie hatte ihre Zweifel. Wie sie ihr schönes, doch dünnes Haar aus der Stirn blies. Wie sie meistens ein Tüchlein in den Händen knetete, das sie nur beim Klavierspielen mit Kowalsky (Hoffmann) weglegte, und auch dann immer in Reichweite. Wie sie, wenn sie lachte, die Augen verdrehte, so daß man fast nur das Weiße sah. Wie sie, sobald sie sich unbemerkt glaubte, an den Nägeln nagte. Und doch: Hinter alldem kündigte sich etwas an. Etwas, ein Flair aufblühender Anmut, das seinem Wesen nach nur kurz, einen Vorfrühling lang, dauern konnte, und sich dann (auch darin, in dieser

vorläufigen Ungewißheit lag ein Reiz) in tatsächlich aufgeblühte Schönheit oder leidlich nette Durchschnittlichkeit entfalten mochte. Sogar Vergröberung, Häßlichkeit, lag im Bereich des Möglichen. Die Ahnung all dessen trieb Hoffmann, einem seelisch tatsächlich Weitsichtigen, die Tränen in die Augen. – Dies geschah namentlich, wenn Julia sang. Er (Hoffmann) war ein durch Musik bis zum Schmerz sensibilisierbarer, bis zur Leidenschaft erotisierbarer Mensch. Ombra adorata: sie (Julia, Kitty) sang auf ganz schlichte, unausgebildete, man könnte auch sagen unverbildete Weise. Da hing der Herr Singemeister an ihren Lippen.

Doch dann, ziemlich bald, trat die Phase der Koketterie ein. (Übrigens, und das machte die Darstellung noch glaubhafter, parallel zu Kittys wachsender schauspielerischer Routine). Sie war intelligent – der Effekt, den sie, vorerst unbeabsichtigt, erzielte, entging ihr nicht. Dazu zeigte Hoffmann, auf einmal naiver als sie, auch allzu viel Wirkung. Sie warf, unter langen, dunklen Wimpern hervor, Blaueblumenblicke. Sie hielt, um den niedlichen Busen zur Geltung zu bringen, die Luft an. Ab und zu ließ sie ein zierlich bestrumpftes Bein sehn. Wenn Hoffmann ihr Komplimente machte, hauchte sie Küsse, die sich, so leicht sie auch aussahen, schwer auf sein Herz legten.

Er nannte sie Käthchen, nach dem Käthchen von Heilbronn. Das war (sonst ähnelte sie dem Kleistschen Fräulein kaum) eine Anspielung auf ihren Somnambulismus. Somnambulismus ist wohl auch übertrieben. Es gab Situationen – da neigte sie zu Absenzen. Und zwar – der Film zeigte diese Entwicklung auf subtile, mich, einen armen, zum Voyeurismus verurteilten Zeitreisenden,

allerdings prekär berührende Weise – keineswegs nur beim Singen. Blickwechsel Hoffmann-Julia, Julia-Hoffmann. Beim Vierhändigspielen berührte sein kleiner Finger, von den am Notenblatt angegebenen Läufen abweichend, den ihren. Das endete in einer fast lasziven Umschlingung. Schnitt : ihr Gesicht in Großaufnahme, die Augen geschlossen. Die Nasenflügel vibrierend, die Lippen geöffnet. Was tat Hoffmann? Man sah es (sie sah es) nicht. Sie träumte, sie phantasierte, sie war nicht da. – Oh Julia, Käthchen, Kitty, du schlimmer Engel! Sie war verführerisch, ohne verführen zu wollen. Das heißt, ohne merken zu lassen, daß sie es wollte. »Tun Sie«, sagte sie wortlos, »was Sie nicht lassen können, tun Sie es bitte immer wieder, aber übernehmen Sie gefälligst die Verantwortung!«
Und Hoffmann? Hoffmann war ›exaltiert bis zum Wahnsinn‹. Das sah man ihn nächtlicherweile ins Tagebuch schreiben. Spätestnächtlicherweise, wenn Mischenka schlief. ›Unvernunft und Leidenschaft – quod deus bene vertat. – Diese romantische Stimmung greift immer mehr um sich, und ich fürchte, es wird Unheil davon entstehen. – Käthchen, plus belle que jamais et moi – amoureux comme quatre-vingt diables. – Duett mit Käthchen gesungen – exaltatione grandissima! – Enthusiasmo mit Käthchen beinahe den höchsten Grad erreicht; abends pipicampu und geistiger Ehebruch!‹ In einer Szene am Theater war er, mit dem Notizblock im Parkett sitzend, ganz abwesend, zeichnete Julia-Bildchen und brach, von Holbein auf seine Zerstreutheit angesprochen, einen läppischen Streit vom Zaun. Doktor Speyer, den er wegen immer wiederkehrender Magen-

krämpfe konsultierte, nannte er einen elenden Quacksalber, als ihn der darauf hinwies, daß es wenig Sinn hätte, ihm Tropfen zu verschreiben, wenn er seine Gewohnheit, sich mit Rum, Cognak und Arrak selbst kurieren zu wollen, nicht aufgebe. Als Kunz, dem er ein Teilgeständnis ablegte, danach grinsend den Kopf wiegte, sprang er empört vom Tisch auf und lief davon. Mischa fragte er unvermittelt, ob sie ein Ungeheuer wie ihn noch zu lieben imstande sei... als sie die Frage einfach mit ja beantwortete, fiel er vor ihr auf die Knie und weinte in ihre Schürze.

Wußte sie wirklich nicht oder tat sie nur so? – Eine weitere Szene im Theater. Hoffmann hatte Julia überredet, eine der Proben zu besuchen, die er leitete. Um eine bestimmte Stunde sollte sie am Bühneneingang warten. Tatsächlich wartete *er*, schon zehn Minuten früher. Zur Beruhigung ein Pfeifchen – es ging ihm aus. Er grimassierte. Steckte es noch einmal an. Aber am Bühneneingang wars offenbar zugig. Und dann : dann kam sie : aber es war nicht Käthchen. Mischa erschien. Apart herausgeputzt. Hut mit Bändern und Schleifchen, ein ihre Rundlichkeit perfekt kaschierendes, im Wind wehendes Kleid. »Liebster«, sagte sie, »du, es war mir danach, dich wieder einmal bei der Arbeit zu bewundern.« Hoffmann perplex. Aus der anderen Richtung kam Julchen. Hoffmann (was selten der Fall war) nach Worten ringend. »Darf ich vorstellen – meine Frau – Fräulein Marc.« – »Ah ja!« sagte Mischa, und während sie – zu dritt – das Parkett betraten, flüsterte sie ihrem Mann, der seine Pfeife endgültig wegsteckte, etwas offenbar Amüsantes ins Ohr.

Und wieder das Tagebuch (als Insert im Film): ›Es muß –

es muß entschieden werden – Roma – Roma tu eris mihi salutaris. Ahnungen seltsamer Ereignisse, die dem Leben eine Richtung geben oder –‹ (hierzu zeichnete er eine Pistole). –›Exotische Stimmung – in den eigenen Eingeweiden gewütet – womit soll das enden?‹

Ja, womit bloß? Die Lage war hochexplosiv. Eines Tages fiel das inzwischen fein in den Somnambulismus eingeübte Käthchen vollends in Ohnmacht. Was tun? Hoffmann öffnete ihr geschnürtes Leibchen; zumindest Kitty blinzelte. Und Hoffmann (wie gesagt ein Kleistfan) sah sich unversehens in der süßen Versuchungssituation des russischen Offiziers aus der Marquise von O. – Dea ex machina trat die Mutter ins Zimmer. Frau Marc, deren Busen auch sonst zum Erbeben neigte. Nun erbebte er noch etwas stärker als sonst. »Herr Musikdirektor, was tun Sie?« Der fuchtelte abwehrend. »Jaja, immer diese Zufälle!« (Mit welchem Wort man zu diesen Zeiten auch Anfälle meinte). Julia sollte sich, sagte die weltgewandte Dame, nicht derart erhitzen. Mit nach wie vor rotem Kopf eilte der Herr Musikdirektor nach einem Glas Wasser. Die Konsulin nahm es ihm aus der Hand und schüttete es ihrer Tochter ins Gesicht. »Wissen Sie«, sagte sie lächelnd, »sie kommt in die Jahre. Gelja Julchen? Das ist nicht so einfach, ich weiß. Wallungen, nichtwahr? Da bleibt einem glatt die Luft weg. Doch wenn du demnächst verheiratest bist, kommt das alles in Ordnung.«

Schnitt, dann Hoffmanns Gesicht. Seine Augen ganz groß. Er konnte dreinsehen, wie ein geprügelter Hund. Berganza, der später unter dem Brautbett liegen und den seiner Ansicht nach völlig indiskutablen Bräutigam in die kaum vorhandene Wade beißen sollte. »Demnächst?« –

»Ja«, sagte die Konsulin. »Hat Ihnen Julchen nichts erzählt?«
Schnitt: in der Nacht, wie zuvor. Hoffmanns Tagebuch. ›Gefunden, daß es möglich ist, von Käthchen zu abstrahieren.‹ – Was hieß hier möglich? Es war notwendig! Schnitt. Hoffmann, sich in Magenkrämpfen windend. ›Nachricht, daß ein Kaufmann Graepel aus Hamburg Julchen wahrscheinlich ehelicht. Das Schicksal meint es gut mit mir und meinem Künstlerleben.‹

Ab hier, Professor, ging etwas in mir vor. Eine Veränderung der Position gewissermaßen, eine emotionelle Gewichtsverlagerung, eine Verschiebung der Parteinahme. Hatte ich die bisherigen Julia-Szenen zwar mit einer durch ihren erstaunlichen Wirklichkeitscharakter bedingten Faszination, aber auch mit (schließlich war Julia Kitty!) durch ebendenselben Wirklichkeitscharakter verursachter Eifersucht gesehn (stimmt schon, die Dreharbeiten lagen mehr als zehn, die ihnen zugrundeliegenden Ereignisse mehr als hundertsiebzig Jahre zurück, aber je tiefer Kowalsky und Kitty, sich und einander in ihre eingebildete oder wirkliche Vergangenheit hineinsteigernd, in die Rollen von Hoffmann und Julia gefallen waren, desto machtloser stand oder saß ich ihren Annäherungs- und Verschmelzungsversuchen vis à vis...), so begann ich mich jetzt, da Hoffmann aus den wahrhaftig schwindelnden Höhen seines verschwärmten Begehrens abstürzte, mehr und mehr mit ihm zu identifizieren. Seine Unterredung mit Julia, wenige Tage nach der oben erwähnten Ankündigung ihrer Mutter, griff mir ordentlich ans Herz. »Julia«, sagte er, »ich liebe Sie!«

»Ja«, sagte sie, »ich weiß. Aber was soll ich tun?«
»Bevor Sie sich aus Vermögensgründen an diesen Menschen – ich kann mir nicht denken, daß Sie ihn lieben, verschachern lassen, versprechen Sie mir eins. Was zwischen uns gewesen ist, das war, verstehn Sie mich richtig, Poesie, nicht Prosa, vergessen Sie das nie!« – »Nein«, seufzte Julia, »nein, wie könnte ich je!« – Doch offenbar war sie auch neugierig auf die Prosa.
Graepel, ein keineswegs attraktiver und schon gar nicht poetischer Typ, aber immerhin der Mann, mit dem sie in absehbarer Zeit das Ehebett teilen sollte, kam und sah. Und da er alles andere als zurückhaltend und sie, durch Hoffmann für gewisse Berührungen (die hier allerdings zielstrebiger ausfielen) enthusiasmiert war, siegte er auch vorzeitig. Nein, es gefiel ihr nicht, sie hatte sich das anders vorgestellt, aber geschehn war geschehn. Jetzt brauchte sie jemand zur Aussprache. Wen, außer Hoffmann?
Sehn Sie, Professor, nun tat er mir wirklich leid. Zu Kowalsky, der trüb in den Monitor starrte, hinüber schielend, hätte ich ihm am liebsten den Arm um die Schulter gelegt (ich unterließ es). Natürlich erging sich Julia vorerst nur in Andeutungen. »Sie kennen mich nicht. Meine Mutter auch nicht. Niemand…« Da wollte Hoffmann, sonst rasch von Begriff, einfach noch nicht begreifen. Schrieb etwas vom Rätsel der Sphinx in sein Tagebuch. ›Die Sphinx hat mich beim Schopf gepackt und wirft mich bergab, in ein verfluchtes Schlammgrab…‹ Dafür begriff er in Pommersfelden zu gut.

Pommersfelden, das ist ein Ort in der Nähe von Bamberg. Die Verlobung war vollzogen – ›Il colpo è fatto‹, schrieb Hoffmann in sein Tagebuch, ›la Donna e diventata la sposa di questo maledetto asino di mercante.‹ – Pommersfelden, dort hatte der Graf von Schönborn ein Schloß mit Gemäldegalerie und Garten rundum. Zur Nachfeier unternahm man dorthin einen Ausflug.

Warum hatte man Hoffmann überhaupt dazu eingeladen? – Wahrscheinlich auf Initiative Julchens. – Oder steckte eher die Mutter dahinter? – Il Colpo è fatto. Ja. Der Coup war gelandet. Die Finanzen waren saniert und das zu Ohnmachten neigende Töchterchen kam, bevor es sich wirklich in die stets auffangbereiten Arme des seltsamen Herrn Musikdirektors fallen ließ, an die eheliche Kandare.

Nein, die Frau Konsul war keineswegs prüde, gewiß nicht. Sie hatte auch ihre Vergangenheit, ihre Jungmädchenzeit lag noch gar nicht so weit zurück, nichts (oder fast nichts) Menschliches war ihr fremd. Kowalsky zeigte sie während der Fahrt im Profil und en face. Sie war tolerant. Sie hatte sogar Humor. Sie lächelte Hoffmann (und Mischa!) gewogen zu. Er war, wenn auch zweifelhaft, prominent, und das wußte sie zu schätzen. Allein – ein Skandal widersprach ihren Interessen. Na also, Herr Hoffmann, wir verstehn uns doch richtig.

Man stieg aus, man erging sich zwischen Gemälden. Hoffmann, von Kunz bewacht, hielt sich im Hintergrund. Zwar konnte er sich, wenn der Bräutigam ästhetische Urteile von sich gab, gewisser Sarkasmen nicht enthalten. Doch verzichtete er (wohl auch wegen der Blicke Julias, die sich manchmal fast ängstlich nach ihm umsah) auf eine den Banausen wirklich bloßstellende Attacke.

Beim Essen fühlte sich Graepel eher zu Hause. Er aß (man kann sagen: er fraß) unglaubliche Mengen. Hoffmann saß ihm und der Braut genau gegenüber. Das war eine unglückselige Konstellation:
In Großaufnahme, wie Hoffmann den anderen sieht: Das schüttere Haar, die schwitzende Stirn, der fettige Mund. »Warum essen Sie nicht, Monsieur Hoffmann, der Kapaun ist exzellent?!« – »Nein danke, mein Magen ist etwas verstimmt, im übrigen verderben mir gewisse Aspekte den Appetit.« – Kunzens Fuß tritt Hoffmanns Fuß unterm Tisch. Graepel wischt sich das Maul mit dem Handrücken, grinst. »Ah ja, man sagt, daß Sie eher zum Trinken neigen. Na bitte, dann spülen Sie Ihren Kummer hinunter!« – Blickwechsel Julia-Hoffmann, Hoffmann-Graepel. Hoffmann: »Ich weiß nicht, Herr Graepel, wovon Sie reden.« Graepel (mit vollen Backen): »Ach wirklich nicht? Na nichts für ungut. Dann trinken Sie halt auf die Braut!« – Lange Pause. Hoffmanns Gesicht vibriert. Dann steht er auf und erhebt sein Glas: »Also gut! – Ich trinke hiermit auf Julias Anmut und Würde. Und gebe der Hoffnung Ausdruck, daß beide auch unter bestimmten, eventuell widrigen Umständen erhalten bleiben und voll aufblühn!«
Großaufnahme Julia. Großaufnahme die Konsulin. Großaufnahme Mischa. Graepels Fäuste an Gabel und Messer. »Wie meinen Sie das?« Dann, sich besinnend, gleich wieder grinsend: »Ach so! Sie spielen auf andere Umstände an, die, nichtwahr Julchen, hoffentlich bald eintreten werden – aber die werden mein Bräutchen gewiß nur verschönern... *Da*rauf trinke ich. Ja, darauf trinke *ich*!« – Er trinkt, schenkt sich nach, trinkt wieder.

»Auf gutes Gelingen!« – Dann tritt er, schon aufgestanden, kurz hinter Hoffmann. »Darf ich Ihnen bei dieser Gelegenheit«, sagt er mit nicht allzu gedämpfter Stimme, »von Mann zu Mann verraten, daß wir schon recht fleißig am Werk sind?«
Groß: Hoffmanns blasses, plötzlich sehr altes Gesicht. Dann Julia, mit aufs Tischtuch gesenktem Blick. »So, und darauf wird jetzt angestoßen!« grölt Graepel. »Nein, entschuldigen Sie«, murmelt Hoffmann, mir ist nicht gut.« – »Die Luft«, hilft ihm Kunz, »die Luft hier drinnen ist schlecht.« – »Ja«, sagt Frau Marc, »das finde ich leider auch. Schon die längste Zeit wollte ich einen Regenerationsspaziergang im Garten vorschlagen. Wenn die Herrschaften nichts dagegen haben, können wir ja das Dessert etwas später einnehmen!«
Und dann also (peinlicher noch) dieser Auftritt im Garten. Der Bräutigam mit der Braut am Arm, dahinter Hoffmann und Kunz, dieser auf jenen einredend, der Rest der Gesellschaft in etwas entfernteren Grüppchen. Graepel torkelt, Julia muß ihn stützen. Groß: ihr Gesicht, das Gesicht eines kleinen Mädchens, das gleich losheulen wird, das Gesicht einer resignierten Frau. Kunz redet nach wie vor auf Hoffmann ein. Der hört ihm nicht zu, aber nickt – er ist ganz woanders. Eingeblendet das Tagebuch: ›Ich sehe ein, daß ein großes Phantasma mich täuschte. Jetzt wird es ernsthaft Zeit, in litteris zu arbeiten.‹ Doch da (aus dem Off) ist Julias Stimme zu hören. Kein Wort, sondern ein kleiner Schrei. Hoffmanns Augen, dann Rißschwenk auf Julia und Graepel. Groß: wie er ausholt und Julia aufs Gesäß schlägt. Das soll zwar wohl launig sein, wirkt aber wie der Schlag einer Bauern-

hand auf die Kruppe einer Stute.
Und Hoffmann, wie er hinspringt, und Kunz, wie er ihn zurückzuhalten versucht, und Hoffmann, wie er sich losreißt. Und Graepel, wie er sich umdreht, und Hoffmann, wie er den Arm hebt, und Kunz, wie er ihn abfängt. Und Graepel, wie er auf Hoffmann zuwankt, und Hoffmann, wie er »Besoffene Sau!« schreit und dem Rivalen wenigstens ein Bein stellt. Und Mischas Gesicht und dann nichts mehr. – Hier endete der Film.

Kowalsky erhob sich und drehte den Monitor ab. »Ja also«, sagte er nach einer Weile, »das wars.« Ja. Das wars. Ich war noch nicht ganz zurück. »Kommen Sie«, sagte er, »es ist schlecht geheizt hier. Abi wird uns Thee machen.«
»Lahui!« rief der Papagei, als er uns wiedersah.
»Na«, fragte der Alte, »hat Ihnen der Film gefallen?«
Ich konnte nur nicken.
Der Alte kicherte: »Nichtwahr, da sind Sie baff? Jaja, E.T.A. war ein Talent. Hätte mehr Zeit haben sollen. Aber man hat sie ihm nicht gelassen.«
Dann ging er ins Hinterzimmer und wärmte den Tee.
Wir beide aber, Kowalsky und ich, blieben sitzen und schwiegen. Ich schaute ihn an. Soeben hatte ich ihn im Film gesehn... jetzt war er frustrierter und älter. Doch trotzdem – oder gerade deshalb – war seine Ähnlichkeit mit sich selbst und Hoffmann erschütternd.
Und dann, auf der Straße, reichte er mir die Hand.
»Nun«, sagte er müde, »das ist wohl der Abschied, so wars vereinbart.«
Doch da – ich weiß nicht, Professor, ob Sie mich verste-

hen, da ließ ich seine Hand nicht los. »Hören Sie«, sagte ich. »Heute habe *ich* eine Bitte. Erzählen Sie mir morgen weiter.«

»DU BIST verrückt«, sagte Kitty, »total verrückt. Ich hab dich gebeten, nicht dorthin zu gehn, ich hab dich davor gewarnt, diesen Film anzuschaun, warum hast du nicht auf mich gehört? Jetzt haben dich Leszek und dieser Scharlatan Abi wieder herumgekriegt. Jetzt bist du wieder voll auf ihn abgefahren, jetzt glaubst du wieder, daß er der reinkarnierte Hoffmann ist, jetzt fängt das ganze Theater wieder von vorn an!«

Sie blies sich das Haar aus der Stirn und biß an den Nägeln.

»Jetzt hör einmal zu«, sagte ich, überrascht und erschrocken über die Heftigkeit ihrer Reaktion, »das ist nicht so simpel. Ob er der wiedergeborene Hoffmann ist oder nicht, ist gar nicht so wichtig.«

»Sondern? Was ist dann wichtig?«

»Seine Geschichten.«

»Seine Geschichten, seine Geschichten, ach was! Ich habe genug davon, ich will nichts mehr von seinen Geschichten hören, seine Geschichten hängen mir zum Hals raus!« Sie griff nach der Cognakflasche, aus der sie mir eingeschenkt hatte, trank ohne Glas. »Ich werde mich nicht mehr in diese Geschichten hineinziehen lassen!«

Zur Beruhigung wollte ich sie umarmen.

»Nein, laß mich!« rief sie mit fremder Stimme, sehr schrill. »Rühr mich nicht an, ich kratz dir die Augen aus! Du steckst mit ihm unter einer Decke, das hätte ich mir ja gleich denken können, du laß mich ja in Ruh!«

Eine Weile lief sie im Raum auf und ab. Dann ging sie plötzlich in die Hocke, holte tief Luft, als wollte sie tauchen, und verschwand in der Pyramide. »Entschuldige«, sagte sie, ihre Stimme klang durch den Pappendeckel

zwar hohl, aber immerhin gedämpft. »Entschuldige, ich habe durchgedreht, ich muß mich ein bißchen entspannen und meditieren.«
Ein bißchen war gut. Ich wartete zehn Minuten. Ich wartete zwanzig, dreißig, vierzig Minuten. »Kitty?!« sagte ich schließlich. Sie gab keine Antwort. Der Kater, im Schaukelstuhl sitzend, betrachtete mich mit seinen großen, lunarischen Augen und schmunzelte.
Nach einer Stunde ging ich ins Badezimmer.
»Kitty«, sagte ich zurückkehrend »mit deiner Erlaubnis lege ich mich jetzt in dein Bett – ich würde mich übrigens freuen, wenn du mir in absehbarer Zeit nachkämst!«
Sie rührte sich nicht. Ich hörte sie allerdings atmen. Ansteckend ruhig und entspannt. Darüber schlief ich ein.
Als ich erwachte, saß sie sehr aufrecht auf einem Sessel neben dem Bett und schaute mich an.
»Hör zu«, sagte sie, »ich bin in mich gegangen und hab mich gefragt, was ich tun soll: ich hab mich entschlossen.«
»So?« sagte ich. Ich war noch zu schläfrig für mehr.
»Ja«, sagte sie, »Ich hab mich entschlossen. Ich fahre weg.«
»Was? Wohin?«
»Ich fahre nach Amsterdam. Dort gibts dieser Tage ein Rockfestival, das mich ohnehin reizt. Wenn du mit mir fahren willst, so steh auf und beeil dich. Meine Reisetasche ist schon gepackt.«
Professor, wie soll ich erklären, warum ich nicht mitfuhr? Ich meine, abgesehn davon, daß ich kein Freund überstürzter Aufbrüche bin und für Rockfestivals nicht allzuviel übrig habe. – »Aber Kowalsky!« dachte und

sagte ich. – »Ja«, sagte Kitty. »Kowalsky. Das ist es ja eben! Wie du willst. Du bleibst da. Versteh ich dich recht? Und bringst wohl noch einige Tage im schönen Berlin zu. Okay, dann kannst du in meiner Wohnung bleiben. Und wenigstens meinen Kater betreuen. Ich schreib dir.«

Sprachs, küßte mich flüchtig und gab mir die Schlüssel.

»He«, sagte ich, aufspringend, »aber Kitty, warum...?«

»Warum?« Also hör einmal... Es ist *deine* Entscheidung. Ein paar Dosen Katzenfutter stehen im Eisschrank. Wenn du mehr brauchst, verrechnen wirs nachher. Jetzt geh zurück ins Bett, Johnny, du verkühlst dich!«

Und dann fiel die Wohnungstür zu, und Kitty war weg. Und ich, überrumpelt, verwirrt, sah noch nicht ab, was das für mich bedeutete. Da stand ich, nackt wie ich war, und wußte nicht, ob ich tatsächlich zurück ins Bett schlüpfen oder mich anziehen sollte. Und der mir unversehens anvertraute Kater schaute mich an und seufzte.

»NACH JULIAS Abreise«, sagte Kowalsky am folgenden Abend, sagte es, als ob er seine Hoffmann-Erzählung nie unterbrochen hätte, »nach Julias Abreise Richtung Hamburg war mir tatsächlich, als wäre die Farbe aus meinem Leben geschwunden. Zwar hatte ich die Wochen und Monate nach dem Pommersfeldener Eklat versucht, sie zu vergessen – notwendigerweise zu vergessen, denn auf einen zerknirschten Entschuldigungsbrief an die Konsulin, den ich im ersten Schrecken über mich selbst geschrieben hatte, hatte ich die lapidare Antwort erhalten, daß etwas in Julias Gemüt gekommen sei, das es ihr unmöglich mache, die Stunden mit mir fortzusetzen – aber, Sie kennen mein Tagebuch, nichtwahr, ich schaffte es nicht. Ein letzter Tanz auf einem Ball im November, bei dem wir uns zufällig trafen, verlief verzweifelt distanziert. Ktch! Ktch! – die Kürzel für Käthchen, die, gegen bessere Vorsätze, immer wieder zwischen meine Zeilen gerieten, waren wie das unwillkürlich protokollierte Röcheln eines Erstickenden.

Mischa, die ganz gut merkte, was mit mir los war, verlor nichtsdestoweniger kein Wort darüber, was ich ihr – ihre Feinfühligkeit ging zuweilen bis zur Selbstverleugnung – hoch anrechnete. Trotzdem verriet eine ihrem Wesen sonst fremde Stille und Melancholie – beim Handarbeiten zum Beispiel hatte sie manchmal, recht hübsch, auf polnisch gesungen, jetzt saß sie nur schweigend am Fenster und schaute, die Strickerei häufig vergessend, halb von mir abgewandt hinaus auf den Platz –, daß und wie sehr sie litt. Oft hielt ich es – ich hatte, da Holbein nach Würzburg abgewandert war, die Arbeit am Theater endgültig aufgegeben – zu Hause nicht aus und lief Hals über

Kopf davon. Aber Bamberg war keine Stadt, in der man untertauchen konnte, überall traf ich Bekannte, auch hatte ich den Eindruck, daß selbst Fremde hinter mir her tuschelten, immer klarer wurde mir, daß meines Bleibens hier nicht mehr lange war.

Vor allem die finanzielle Lage war kaum noch zu retten. Nicht nur das Geld vom Theater, sondern auch die nicht unerhebliche Summe, die ich monatlich von der Marc erhalten hatte, blieb aus. Als Gesangmeister für höhere Töchter in anderen guten Familien unterzukommen, brauchte ich wohl nicht mehr zu versuchen. Und die Honorare, die mir die ›Leipziger Musikalische Zeitung‹ für meine kleinen Geschichten und Rezensionen anwies, tröpfelten nur spärlich. Bettelschreiben, in deren Abfassung ich zwar eine gewisse Praxis, zu deren Versendung ich aber, wie Sie sich denken können, immer weniger Lust hatte (schließlich war ich inzwischen Mitte der Dreißig) hatten überdies wenig Erfolg. Die Musikverleger Nägeli und Härtel schickten, da meine musikalische Produktivität in dieser Krisenzeit eher ab- als zunahm, nur sehr vorsichtige Vorschüsse. In einem Brief an Seconda, Theaterdirektor in Leipzig, von dem ich relativ Gutes gehört hatte, präsentierte ich mich als zur Zeit verfügbarer Kapellmeister. Aber die Antwort ließ vorläufig auf sich warten.

Zwar setzte sich Itzig, der sich inzwischen endgültig Hitzig nannte, recht brav für mich ein. Stellte, das wissen Sie, einen Kontakt mit dem Freiherrn de La Motte Fouqué her und verschaffte mir – ich hatte bis zum Schluß daran gezweifelt – tatsächlich den Kompositionsauftrag für die Undine-Oper. Ich fühlte mich geehrt, das Thema gefiel mir, aber fürs Erste (zu sehr erinnerte mich das Undinchen in seiner widersprüchlichen, zwischen Wasser und Land unentschiedenen Existenz, an Julchen) brachte ich wenig zustande. Nächtelang über am Morgen immer wieder zerknüllten Notenblättern sitzend, trank ich – zu meiner Entschuldigung muß ich einräumen, daß es wieder einmal Winter und kalt war – bedenkliche Mengen Punsch.

»Wissen Sie«, sagte Kowalsky (erst jetzt fiel mir auf, daß er, obwohl wir wieder bei ihm im Zimmer sitzen geblieben waren, weder Schlafrock noch Käppchen trug – und, Professor, er trug sie von da an nie wieder, gab sich, was Äußerlichkeiten betraf, ganz gegenwärtig, hielt diese Kostümierung mir gegenüber offenbar nicht mehr für nötig) »wissen Sie, damals war ich tatsächlich gefährdet. Nicht nur körperlich (meine Leber rebellierte), sondern, aber das kam nicht von ungefähr, durchaus auch psychisch. Napoleon war auf dem Rückzug aus Rußland, mein Stübchen war überfüllt von erfrorenen französischen Soldaten. Im März erfuhr ich, daß Julia schwanger war. Außerdem wirkte Kleists Selbstmord mit Nachhaltigkeit. Hatte ich den von mir verehrten Kollegen, kurz nachdem sich die traurige Nachricht herumgesprochen hatte, noch sehr offensiv gegen die ebenso dumme wie böse Nachrede der Bamberger Philister verteidigt, so ging mir sein und seiner Henriette tragischer Freitod jetzt, da ich mich zusehends isoliert und vor allem mir selbst gegenüber in der Defensive fühlte, erst richtig nah. Manchmal, wenn ich besonders wenig gegessen und besonders viel getrunken hatte, glaubte ich seine Stimme zu hören. ›Kommen Sie, Hoffmann‹, sagte sie, ›das ist keine

Welt, in der sich zu leben lohnt, nehmen Sie sich ein Beispiel an uns und kommen Sie herüber.‹

In dieser Phase hat mir Kunz viel geholfen. ›Hör einmal‹, sagte er, ›wenn du Kleist schon als Kollegen empfindest, so wirst du besser daran tun, ihm im Schreiben nachzueifern, statt dich umzubringen. Wenn du mich fragst, so meine ich, daß du dafür im Moment – und vielleicht überhaupt – besser disponiert bist als zum Komponieren. Nimm den Rest von Ironie und Talent, der dir, wie ich sehr hoffe, bei allem geblieben, und der, wie ich fest glaube, noch immer um einiges größer ist als das Ganze, das viele andere Leute von diesen Gaben haben, schreib dir mit seiner Hilfe Leid, Wut und ungestillte Sehnsucht von der Seele und du wirst, darauf wette ich die 30 Friedrichsdor, die ich dir hiemit als Vorschuß gebe, dich zum Dichter und mich zum Verleger machen, die Nachwelt wirds uns danken.‹

Und, Kreisler, Sie wissens so gut wie ich, der Mann hatte recht. Zwar fiel er mir manchmal, wenn er, faul auf die Chaiselongue, sein bevorzugtes Sitz- oder genauer Liegemöbel ausgestreckt, meine Manuskripte las, monoton vor sich hin, oder exakter schräg abwärts, nicht in den Bart, denn der war damals nicht in Mode, aber ins Doppelkinn murmelnd, hin und wieder enttäuscht den Kopf schüttelnd, häufiger aber, gottlob, befriedigt grunzend oder laut auflachend – zwar fiel er mir manchmal ganz hübsch auf die ohnehin überstrapazierten Nerven, doch ich muß zugeben – und was läßt sich von einem Verleger, diese Sorte ist, habe ich mir sagen lassen, so gut wie ausgestorben, Besseres berichten –, er regte mich an. Nicht nur durch den guten Wein, den er mir, damit mir das

Warten auf sein übrigens nie verletzendes Urteil nicht zu lang wurde, auf den Tisch stellte, sondern auch – daran merken Sie, daß ich tatsächlich von einer aus den Verlagsgeschäft verschwundenen Spezies rede, durch sein persönliches Interesse. Und seine – zumindest manchmal – nicht schlechten Ideen.

Überschnappen mußte ich jedenfalls nicht. Zwar liebäugelte ich mit dem Irrsinn (die Welt, oder wenigstens Bamberg, würde schon sehen, wozu, was man mir antat, führte) – aber indem ich, nach Dr. Kunzens Rezept, gewisse Extreme, statt sie auszuleben, *beschrieb*, ersparte ich mir einiges. Zwar blieb der Roman ›Lichte Stunden eines wahnsinnigen Musikers‹ im Entwurf stecken, aber kürzere Texte (der ›Don Juan‹, der ›Berganza‹ und vor allem, das müßte Sie interessieren, die ›Kreisleriana‹) gelangen mir leidlich. Ich bannte meine Gespenster, projizierte, was ich von mir distanzieren wollte oder mußte, in den Kapellmeister Kreisler und hinterließ Kunz, bevor ich mich endgültig von Bamberg verabschiedete, das vollständige Manuskript für die nachmals recht erfolgreichen ›Phantasiestücke.‹

Damit hätte«, schloß Kowalsky, es war spät geworden, »mein Film übrigens enden sollen. Die Postkutsche, die Heide, der Himmel, eine sehr ähnliche Einstellung wie am Anfang«. – »Ja«, sagte ich, »ich weiß, und doch etwas anders.« – »Eine Nuance«, sagte Kowalsky, »es ist Nachmittag statt Vormittag, aber davon reden wir morgen.«

»DAS MIT dem Nachmittagslicht«, fuhr Kowalsky fort, »war natürlich nur künstlerische Freiheit. In Wirklichkeit fuhr die Kutsche frühmorgens, um sechs. Abfahrt von Bamberg, das war, wie Sie sich denken können, ein ambivalentes Gefühl. Eine Mixtur von Melancholie und Euphorie, von Abgeklärtheit und Spannung, von Bangigkeit und Vorfreude. Mein Leben lag *hinter* mir – mein Leben lag *vor* mir. Die Stadt, in der Mischa und ich immerhin fünf Jahre verbracht hatten, erschien uns, sooft wir die Köpfe wendeten, kleiner und unbedeutender, was voraus lag, war noch nicht recht auszunehmen. Die Nachrichten und Gerüchte, die uns in den letzten Tagen zu Ohren gekommen waren, bereicherten allerdings das erwähnte Gefühlsgemisch um die Anteile Sensationslust und Angst. Napoleon kam aus Rußland zurück, die verbündeten Monarchen Friedrich Wilhelm und Alexander trieben, so hörte man, ihre Soldaten ins Sächsische, just unser Weg, behauptete der Kutscher, sei durch Truppenbewegungen gefährdet.

Das bestätigte sich am Abend in Bayreuth. Unter keinen Umständen, sagte der dortige Postmeister, ein dicker, gemütlicher, aber offenbar nicht sehr couragierter Mann, der uns Bier, das ich, wie Sie wissen, nicht mag, und eine entsetzliche, in Fett schwimmende Wurst vorsetzte, unter keinen Umständen sei für den folgenden Morgen ans Weiterreisen zu denken. Sein Vorschlag, erst einmal hier zu bleiben und die Entwicklung abzuwarten, war mir indessen nicht nur der Kost wegen inakzeptabel. Über das mühsam zusammengekratzte Reisegeld hinaus reichten unsere finanziellen Vorräte bestenfalls für zwei Wochen.

So fuhren wir also, obwohl der Kutscher den Fahrpreis erhöhte. In Münchberg suchte und fand ich den Oberwachtmeister Fortes von den Jägern, der dort die Vorposten kommandierte und an den uns der Bayreuther Postmeister wenigstens mündlich rekommandiert hatte. Mann, warum wollen Sie sich und Ihre Frau denn durchaus in Gefahr bringen? *Was* wollen Sie in Dresden? Dirigieren! Er schüttelte, sichtlich an meinem Verstand zweifelnd, den ebenso grauhaarigen wie rotwangigen Kopf. Schließlich visierte er trotzdem die Pässe und ließ uns durch. Die letzten Vorposten trafen wir eine Stunde nach Münchberg. Von da an wars eine Weile sehr leer und sehr still. Ein Wolkenbruch hing in der Luft und kam nicht herunter. Dann – eine Stunde vor Plauen – die erste, preußische Vedette. Ein Husar, mit kühn aufgezwirbeltem, rostigem Schnurrbart, herrschte uns an, wo wir hinwollten, wurde aber, da er als meine Geburtsstadt Königsberg registrierte, zusehens freundlicher. Ein Landsmann, sagte er, das sei etwas anderes, das müßten wir feiern. Und zwang mich, eine flache Flasche aus der Brusttasche ziehend, nicht nur auf Königsberg, sondern auch auf Friedrich Wilhelm zu trinken, mit dem mich ebensowenig verband.
Vor und nach Plauen Husaren, wir rollten weiter. Dann, mitten im Wald, ein recht seltsames, fast unheimliches Erlebnis. Aus den Büschen brachen plötzlich an die fünfundzwanzig Kosaken, lauter verwittert wirkende, vollbärte Männer, die aber, da sie uns sahen, wie angewurzelt stehnblieben und uns stumm, beinah andächtig passieren ließen. Obwohl wir meines Erachtens noch hätten weiterfahren können, wollte der Kutscher im bald danach

auftauchenden Reichenbach nächtigen und neuerlich über den Preis verhandeln.
An diesem Abend waren wir übelster Stimmung. Das Essen im Gasthof war von den Truppen so gut wie aufgezehrt, das Quartier, das wir erst nach endlosem Hin und Her bekommen hatten, fast unzumutbar, Mischa, die im harten Bett an meiner Brust ruhte, war lang nicht einzuschläfern. Als mir das endlich doch noch durch ständiges Streicheln und Summen, als wär sie ein Kind, gelungen war, kamen im Hof neue Soldaten an, so viel ich ausnahm, Baschkiren und Kalmücken, und weckten sie wieder. Das Gepolter und Gemurmel, die einzelnen Rufe (mutmaßlich Flüche) in fremden Sprachen, hatten in dieser Nacht, in der wir dann bis gegen Morgen kein Auge mehr zutaten, etwas Schauerliches, Beängstigendes.

Die nächsten zwei Tage wurde die Lage nicht besser. Zwar gewöhnten wir uns an die unseren Weg auf und ab, kreuz und quer vorbeistreifenden Soldaten (vor allem Kosaken), aber als, etwa ab Lichtenstein, Russen mit Artilleriegerät (Haubitzen und schweren Sechspfündern) dazu stießen, wurde die Straße fast zu eng. Chemnitz, eine Stadt, die ich später, als Kowalsky, noch sattsam kennenlernen sollte (auch meine diesbezüglichen Erinnerungen sind nicht die besten) war völlig verstopft von Truppen und Waffen. In Wiesa übernachteten wir auf freiem Feld zwischen vierzig Kanonen und zahllosen Husaren, die Atmosphäre war abenteuerlich, meine Stimmung fatalistisch, an einem Lagerfeuer zum Mittrinken eingeladen trank ich eindeutig zu viel.
Am folgenden Vormittag war mir die Fahrt in der Kut-

sche fast unerträglich. Jede Unebenheit des Weges spürte ich im Kopf, die schweren Transportwagen schienen mir links und rechts so nahe heranzukommen, daß ich befürchtete, sie könnten uns erdrücken. Noch in Herzogswalde konnte der Kutscher nur durch ein wildes Manöver, die Pferde peitschend, einem von einer Anhöhe zurückrollenden Munitionswagen ausweichen. Sie können sich denken, daß und wie wir aufatmeten, als wir endlich in Dresden einfuhren. Alles schien bestens, die ausgestandenen Strapazen und Ängste hatten sich gelohnt, wir waren da. Alles schien schönstens, die Stadt war zu Ehren der kurz vor uns angekommenen Herren Alexander und Friedrich Wilhelm illuminiert. In der ersten Begeisterung zahlte ich dem Kutscher, der mich, seine Augen waren klein und listig, ohnehin übers Ohr gehauen hatte, noch ein fürstliches Trinkgeld. Aber denken Sie sich mein Entsetzen, als ich, kaum hatte ich Mischa im Gasthof untergebracht, nur flüchtig restauriert nach der von Seconda brieflich angegebenen Adresse eilte und dort keinen Seconda antraf! – Er sei, hieß es, der politischen Ereignisse wegen in Leipzig geblieben. Ob er sonst keine Nachricht affichiert habe? – Nein, habe er nicht, auch nicht für einen Herrn – wie war doch gleich der Name – Musikdirektor Hoffmann! – Als ich ins Hotel zurückkam, fragte mich Mischa, ob der Vorschuß anständig sei, ihr Hunger sei jedenfalls rechtschaffen. Ich schüttelte nur den Kopf, fiel ins Bett und schlief ein, wie ein Stein.

AM NÄCHSTEN Vormittag schrieb ich an Härtel und an den sauberen Herrn Seconda nach Leipzig, bittend und wütend. Danach, als wir unser wirklich letztes Geld in ein Mittagessen investiert hatten, von dem wir gegebenenfalls eine Weile zehren konnten, kam ich, mit Mischa beratend, auf die Idee, Morgenroth, einen alten Bekannten aus Warschau, heimzusuchen. Der hatte, gleich mir, den Beamtenrock an den Nagel gehängt und hatte sich, wie ich wußte, in Dresden als Musikus niedergelassen. Ich hatte ihm kurz vor der Abreise aus Bamberg geschrieben und vorgeschlagen, daß wir uns, wäre ich einmal in Dresden, gelegentlich treffen könnten. Nun kam mein Besuch gleich am zweiten Tag nach meiner Ankunft etwas plötzlich. Morgenroth war überrascht, aber sichtlich erfreut. Seine älter gewordenen Augen glänzten, sein Mund, in dem verglichen mit früher mindestens ein Schneidezahn fehlte, lächelte, sein Händedruck war fest und herzlich. Da fiel es mir schwer, mit der Tür ins Haus zu fallen und ihn mirnichts dirnichts anzupumpen. Auf dem Klavier spielte er mir Auszüge eines Requiems des damals nicht unbekannten Komponisten Hasse. Ich fand es tatsächlich beachtlich, aber dadurch waren meine finanziellen Probleme nicht gelöst. Glücklicherweise kam Morgenroth anschließend auf die Idee, mich zu einem Spaziergang ins Linkische Bad einzuladen. Das sei, sagte er, der beliebteste Ausflugsort Dresdens, das müsse er mir zeigen. Und dann, dort draußen, was glauben Sie, wen wir dort trafen? Naja, Sie sind ja ein Hoffmann-Kenner – Sie wissens. Wer promenierte da, staatsmännisch-neofriderizianisch herausgeputzt, mit einem Stockdegen in der Rechten den gemessenen Rhythmus

seiner Schritte betonend? Richtig! Hippel war es. Mein alter Theo!
Wir hatten uns, seit ich nach Bamberg gegangen war, einander entfremdet. Er billigte manches an meinem Leben nicht und hätte manch anderes, das ich ihm gar nicht mehr schrieb, noch weniger gebilligt. Nichtsdestoweniger war die Wiedersehensfreude jetzt groß (auch die seine). Ich meine: ich sah ihm das an, auch wenn er mich, zum Unterschied von früher, weder küßte noch auf die Schulter schlug, was sich für einen Mann in seiner Position wahrscheinlich nicht ziemte. Er hatte inzwischen große Karriere gemacht. War als Berater und Intimus des Staatskanzlers Hardenberg nach Dresden gekommen und hatte, wie er uns gleich erzählte, vor wenigen Wochen den Aufruf ›An mein Volk‹ entworfen, den wir doch sicher gelesen hätten. Ich hatte – an der nationalen Sache offenbar zu wenig interessiert – natürlich nicht. Doch das verschwieg ich. Ich konnte mir vorstellen, was drin stand. Außerdem wollte ich Theo doch nicht brüskieren. Das Gegenteil wollte ich (wollte ich doch was von ihm). ›Geliebter Theo‹, sagte ich, ihn, Staatsrat oder nicht, am Arm und beiseite nehmend, ›geliebter Theo, weißt du, dich schickt mir der Himmel.‹ ›Ach Ernst‹, sagte Hippel und seufzte tief, ›du bist unverbesserlich.‹
So überlebten Mischa und ich ein paar Wochen in Dresden. Allmählich ging uns jedoch auch Theos Geld aus. Die Antwort Secondas ließ auf sich warten: sollten wir in Dresden bleiben oder mußten wir nach Leipzig? Und wie kurz war das Hierbleiben noch zu verantworten und wie lang würden wir (die militärische Lage spitzte sich zu) überhaupt noch von hier weg können? Am 4. Mai gab

mir Hippel den dringenden Rat, jetzt nicht mehr zu zögern. Am 5. und 6. marschierten preußische Einheiten durch, Bagagen, Geschütz, französische Gefangene, aber nur wenige, man war offenbar auf dem Rückzug. Am 7. war Hardenberg fort und Hippel mit ihm. Am 8. brannte die Elbbrücke, flammende Kähne schwammen den Strom hinab, ganz aus der Nähe hörten wir Kanonendonner.
Da trieb es mich, Kreisler, ganz merkwürdig aus dem Haus. ›Geh nicht‹, sagte Mischa, ›ich bitt dich‹, aber ich ging. Ich *wollte* gehen, ich mußte sehen, verstehn Sie? Ich spürte, wie soll ichs erklären, eine befremdlich wilde, nahezu böse Lust, vom Schreibtisch, an dem ich unter diesen Umständen ohnehin nichts fertig brachte, weg, hinaus in die sogenannte Realität zu rennen, sie zumindest zu beobachten. Extreme Momente erlebte ich auf dem Stadtwall. Knapp hinter den Russen stehend (kein Mensch hatte Zeit, mich zu verscheuchen) sah ich genau, wie sie anlegten, zielten und auf die Franzosen schossen, die wie Zinnsoldaten auf der Brücke auftauchten. Manche warfen die Arme hoch und fielen, aus der Entfernung unhörbare Schreie ausstoßend, einfach zu Boden, andere stürzten, kurze, in der Abendsonne glitzernde Fontänen verursachend, kopfüber ins Wasser. Ich bekam Angst vor mir selbst und lief heim in den Gasthof.
Inzwischen kam Geld von Seconda, doch kein Aviso. Er wußte wohl vorläufig selbst nicht, was mit uns tun. Nun konnte ich zwar (durch Vermittlung Morgenroths) ein kleines Künstlerlogis auf dem Altmarkt mieten, aber nach wie vor nicht arbeiten. Die Stadt glich einem aufgestörten Bienenstock, Regimenter marschierten ein und

aus, wie soll man da komponieren und schreiben? Und dann, eines Morgens, im Dämmer, verließen die Russen die Stadt. Und am nächsten Tag zogen zum Pirnaer, zum Wilsdruffer und zum Seetor Württemberger, Franzosen, Italiener, Polen, wenigstens 30-40000 Mann sowie eine Menge Artillerie ein. Dann gab es kein Fleisch und kein Brot, ja nicht einmal Wein mehr. In dieser Situation hatte Seconda die Freundlichkeit, uns nach Leipzig zu bitten.«

»SIE WERDEN verstehn« sagte Kowalsky, »daß ich nicht gern wieder auf jenes schrecklichste Ereignis meines damaligen Lebens zurückkomme, außerdem kennen Sie die Tatsachen – ich will und kann mich also bei ihrer Schilderung verhältnismäßig kurz halten. Am 19. vormittags hieß es, daß die Straßen zwischen Dresden und Leipzig wieder befahrbar seien, am 19. nachmittags packten wir unser ohnehin geringes Hab und Gut und bezahlten der Hausfrau, Madame Vetter, die ausständige Miete, am 19. abends feierten wir Abschied mit Morgenroth. Am 20. fuhren wir ab, ›in der besten Stimmung‹ schrieb ich. Die vage Bangigkeit, die ich fühlte, verschwieg ich.

In der Kutsche saßen französische Offiziere, von denen ich Ihnen, so weit ich mich erinnere, bereits erzählt habe. Dazu kontrastierend ein junger, allzu gepflegter Mensch, mit runden, gepuderten Wangen, der sich uns als Graf Fritsch vorstellte. Seine Frau, die Gräfin, duftete nach Veilchen und war immerhin ein erfreuliches Gegenüber. Zudem noch zwei Kaufleute, die, nach ihrem wohlgenährten Äußeren zu schließen, eher vom Krieg profitiert, als unter ihm gelitten hatten – mit einem Wort, die Kutsche war überladen. Und dann, bei der ersten Station, geschah uns das Unglück. Daß eine Postkutsche umstürzt, das klingt für heutige Ohren fast harmlos. Man ist weit Ärgeres gewöhnt, Unfälle, deren Grauenhaftigkeit wir uns damals noch gar nicht vorstellen konnten – im Vergleich dazu wirkt ein Postkutschenunfall wahrscheinlich gemütlich. Aber ich sage ihnen: für uns war das damals katastrophal.

Die junge Frau Fritsch wurde tot, aufs erbärmlichste zer-

schlagen und zerquetscht, unter dem Hinterrad hervorgezogen. Und Mischas Gesicht war vor lauter Blut kaum mehr kenntlich! Wir trugen sie ins Gras, ich reinigte, hemmungslos weinend, ihre Stirn mit Eau de Cologne aus einem Fläschchen, das sie in einem Korb am Arm getragen hatte und das seltsamerweise nicht zerbrochen war. Da schlug sie die Augen auf – gottseidank, sie lebte!
Ihre Verletzung war trotzdem nicht unerheblich. Die Narbe, wenngleich knapp unter dem Haaransatz, so daß man sie durch die Frisur einigermaßen verdecken konnte, blieb ihr (und mir) als untilgbare Erinnerung. Im Meissener Gasthof zur Sonne, wohin uns eine von hilfreichen Leuten angeforderte Portechaise brachte, nähte sie ein Chirurg (ich konnte nicht zusehn!). Doch er versicherte, daß keine Lebensgefahr bestünde, und gab meiner Frau ein einschläferndes Pulver. Mir leider nicht. Ich hielt es im Bett nicht aus. Wußte, erst jetzt meiner eigenen, wenn auch harmlosen Verletzungen (Schürfungen, Blutergüsse) achtend, nicht, wie ich liegen sollte, zitterte am ganzen Leib. Ich hatte Angst, betete, was sonst überhaupt nicht meine Art war, und verfluchte im nächsten Atemzug Seconda. Schließlich, nach Mitternacht, kramte ich Papier, Feder und Tinte aus der Reisetasche, setzte mich an den für diesen Zweck ziemlich ungeeigneten, wackelnden Toilettentisch und schrieb:
›Träume sind Schäume‹, sagte der alte Baron, indem er die Hand nach der Klingelschnur ausstreckte, um den alten Kaspar herbeizurufen, der ihm ins Zimmer leuchten sollte, denn es war spät geworden.‹ Sie kennen das sicher. Es ist aus dem ›Magnetiseur.‹ Die Geschichte war mir bereits vor unserm Aufbruch aus Bamberg im Kopf herum-

gespukt, aber ich hatte, wie schon gesagt, nicht die Muße gefunden, was zu Papier zu bringen. Doch jetzt, ausgerechnet jetzt floß sie mir aus der durch den Unfall glücklicherweise nicht beschädigten Feder. – Sehn Sie, ich schätze sie heute nicht mehr besonders. Ich habe, scheint mir, weit Besseres zustandegebracht und würde sie, glaube ich, sonst kaum mehr erwähnen. Aber damals, in dieser extremen Situation, zerschunden an Körper und Seele, da hat sie mir geholfen. Mit dem Schreiben hatte ich – Kunz sei Dank –, tatsächlich eine Möglichkeit gefunden, nicht nur vergangene, sondern auch gegenwärtige Übel zu distanzieren.

Ob das nun eine bloße Flucht war? Ich weiß nicht! Mir war es zuallererst Mittel, über den Zweck machte ich mir vorläufig keine Gedanken. Ja, ich entschlüpfte der Unbill (und später sehr häufig dem Unsinn) der Wirklichkeit, indem ich dahinter noch eine andere (tiefere, höhere) Wirklichkeit phantasierte, erahnte. Ich schrieb meine Träume hin, häufig Alpträume, manchmal aber, in superben Momenten, die ein Geschenk waren, auch Wunschträume – hätte ich mehr Zeit und Glück gehabt, so hätten womöglich letztere nach und nach überhand genommen.

Die Harmonie, um die es mir eigentlich ging, diesen ganz großen, vorwärtsgerichteten Traum einer sich in Disharmonien zerquälenden Menschheit, glaubte ich übrigens damals noch immer in Musik setzen zu können. Als Literat wollte ich anonym bleiben, ›ich mag mich nicht nennen‹, schrieb ich anläßlich der Erstpublikation der Phantasiestücke an Kunz, ›indem mein Name nicht anders als durch eine gelungene musikalische Komposition bekannt werden soll.‹ Daß mir das nicht gelang, daß ich, auch in dieser Hinsicht ein unglücklich Liebender, nicht konnte, was ich eigentlich wollte, ist eine Tragik, die ich (was mach ich falsch? oder vielmehr: was ist falsch *an dieser Welt?*) auch im jetzigen Leben wiedergefunden habe. Aber ich merke, ich schweife ab. Zurück nach Meissen. Am nächsten Tag fühlte Mischa sich immer noch matt. Außerdem fieberte sie, es war also angebracht, zumindest noch einen Tag zu bleiben. Ich tat, was zu ihrer Pflege nötig war, holte uns Essen aufs Zimmer, las ihr aus dem Novalis vor. Aber wenn sie darüber einschlief, schrieb ich wieder, und während der Nacht, als sie gottlob fest und erholsam schlummerte, schrieb ich bis zur Erschöpfung. Am Morgen erlaubte der Arzt uns dann, weiterzufahren. Mit der Extrapost machten wir vorerst nur eine halbe Tagreise, nächtigten und setzten die Fahrt am folgenden Morgen, 7 Uhr früh, fort. Um halbdrei waren wir schließlich in Leipzig, im Hotel de France hatte man uns ein schreckliches Loch reserviert, wir fühlten uns trotzdem wie Schiffbrüchige, die endlich an Land kommen. ›Gut daß Sie da sind‹, sagte Seconda, als ich am Abend bei ihm vorsprach, ›gut daß Sie da sind, da können Sie übermorgen gleich dirigieren.‹

WIEDER ZU dirigieren, das war – trotz allem – ein gutes Gefühl. (Ich dirigierte übrigens – im Vertrauen gesagt, weil auf diese Weise meine mangelnde Körpergröße weniger auffiel – vom Klavier aus). ›Das schwarze Schloß‹, ein ›Drama lyrique‹ von Dalleyrac war zwar nicht ganz mein Fall, aber ich tröstete mich mit der optimistischen Aussicht, später auf die Programmgestaltung Einfluß nehmen zu können. Vorläufig hatte Seconda ja schon geplant. – Das heißt, soweit man bei Seconda und diesen Zeiten überhaupt von Planen sprechen konnte. Bucklig, dick, kahl, basedowäugig und in einem Bratenrock, der noch abgeschabter wirkte als meiner, großsprecherisch, aber letzten Endes kleingläubig, bauernschlau, feig, machte er eher den Eindruck eines Jahrmarktsquacksalber als den eines Theaterdirektors. Die Zeiten indessen waren natürlich auch nicht die besten für ihn und die Kunst. Meist blieb das Theater zu mehr als zwei Dritteln leer, und eines Tages (Mischa und ich waren noch keine zwei Wochen in Leipzig) erklärte er vor dem unvermittelt zu einer Generalversammlung einberufenen Personal, er müsse, so leid es ihm tue, wegen der allzu krassen Diskrepanz zwischen Kosten und Nutzen, den Betrieb bis auf weiteres einstellen, wir sollten uns nicht mehr an ihn gebunden fühlen. Das war natürlich leichter gesagt als getan. Was blieb denn uns Schauspielern, Sängern und Musikern übrig? Man beschloß, bei größtmöglicher Verringerung des Ausgabenetats (die, wo sonst, bei den Gagen beginnen mußte) wenigstens vierzehn Tage hindurch auf eigene Rechnung zu spielen, und Seconda, wen sonst, mit der provisorischen Direktion zu betrauen (also ganz einfach mit weniger, genaugenommen gar keiner, Verantwortung). Das wars, was er gewollt hatte, er beglückwünschte uns zu unserem Idealismus und ließ uns – wenigstens das ein Lichtblick – Webers ›Oberon‹ proben. – Finanziell war das selbstverständlich ein Witz, über den ich nicht lachen konnte. Daß ich, wie die Biographen zu bemerken belieben, während jenes ersten Leipziger Gastspiels so häufig die Herren Härtel und Rochlitz kontaktierte, hängt weniger mit persönlicher Sympathie als mit der Hoffnung zusammen, von ihnen Geld zu bekommen. Das Problem war nur, daß ich sowohl bei diesem als auch bei jenem seit geraumer Zeit in der Kreide stand. Härtel schuldete ich mindestens zwei Kompositionen, zu denen mir, weiß der Teufel, die Inspiration fehlte, und die Besprechung der Beethovenschen Egmont-Ouvertüre, die Rochlitz seit Monaten urgierte, war leider auch noch nicht fertig. Trotzdem behandelten mich die beiden honett. Sie waren, grau meliert und bestens gekleidet, Männer von Welt und ließen mich alles in allem weniger Distanz fühlen als die biederen Bamberger Bürger. ›Sie wissen gar nicht‹, sagte Rochlitz in Reichhardts Kaffeehaus, wohin er mich öfter auf eine Jause einlud, ›wie sehr meine Leser Ihre Aufsätze schätzen‹. Und Härtel, in der ›Grünen Linde‹ manchmal bis zum Abendessen spendabel, beteuerte wiederholt, daß er mich für ein großes Talent halte, ich müsse mir nur etwas einfallen lassen. – Das tat ich: wenn es mir gelang, ihn abzulenken, verpackte ich ein Hühnerbein oder ein Rippchen für die im Hotel wartende Mischa. (Zwar beinah genesen, ging sie, der Narbe wegen, nicht gern unter Leute). Auf dem Heimweg, den ich wohlweislich unbegleitet zu gehen vorzog, lockte der unter meinem Frack hervorwehende Duft streunende Hunde und Katzen hinter mir her, die ich, obwohl sehr tierliebend, bitter enttäuschte. Der Transport von Süßigkeiten aus dem Kaffeehaus war unproblematischer, allerdings verklebte er auf die Dauer die Rocktaschen.

Wer mir damals tatsächlich half, das war Keller. Er war der Komiker der Truppe, groß, schwer, teiggesichtig, aber von jener Herzensgüte und Feinfühligkeit, die man bei Menschen seiner Statur manchmal findet. Ihm brauchte und konnte ich nichts vormachen, er wußte, schon lang genug unter fahrendem Volk, wie es war, Hunger und vor allem Durst zu leiden. Er steckte mir nicht nur Geld zu, sondern verschleppte mich ab und zu auch in jene italienischen Kneipen, am Markt und in der Petersstraße, von denen ich Dr. Speyer nach Bamberg so launig schrieb, als hätte *ich* dort bezahlen können.

Apropos fahrendes Volk: bald fuhren auch wir wieder. Russen und Preußen näherten sich der Stadt, Franzosen und Württemberger marschierten mit schwerer Artillerie aus, das störte sogar unsere sonst recht erfolgreiche ›Figaro‹-Aufführung. Die Militärverwaltung verhängte den Belagerungszustand, kurz darauf wurde ein, wenn auch befristeter, Waffenstillstand verkündet, da unterbreitete Herr Seconda einen nicht uninteressanten Vorschlag. Durch Vermittlung seines Bruders hätte er die Erlaubnis erhalten, am Dresdener Hoftheater zu spielen – wenn sich die Truppe zu nicht ganz, aber fast den alten Bedingungen wieder unter seine Führung begeben wolle, dann könnten wir dorthin ausweichen.

Also zurück nach Dresden – das war schon verrückt! In neun Planwagen rollten wir, eine Mischung zwischen

Pioniertreck und Circus, die Strecke retour, auf der meine Frau und ich einen Monat zuvor unter so denkwürdigen Umständen gekommen waren. Sobald wir Meissen passierten, stellte sich Mischas Fieber aufs neue ein. ›Entschuldige‹, sagte sie nichtsdestoweniger, bis zur Selbstaufopferung tapfer, ›ich will dir nicht zur Last fallen.‹

ALSO ZUM zweiten Mal Dresden«, erzählte Kowalsky weiter. Wie Hoffmann und Mischa ein mieses Quartier vor der Stadt (beim Schwarzen Tor, Allee zum Linkischen Bade) bezogen, und, matt, abgespannt, vorerst alles noch schlechter fanden, als ohnehin befürchtet. Wie er ungefähr das Gegenteil (heimelige Gemütlichkeit, ländliche Idylle) an Speyer schrieb und sogar den an sich kaum zumutbar weiten Weg zum Theater als der Gesundheit zuträglichen Spaziergang schilderte. Wie er (trotz allem) die durch anhaltende Geldnot verschärfte, infame Stimmung zu überwinden versuchte, den ›Magnetiseur‹ beendete, die ›Undine‹ anfing, aber angesichts einer miserablen ›Don-Juan‹-Probe (alles was recht ist, aber das war seine Lieblingsoper) die Nerven verlor und Seconda einen unsensiblen Klotz nannte. Und dann sei er krank geworden (durch die Stadt lief ein Fieber). Und dann sei ihm, im Bett liegend, die Idee zum ›Goldenen Topf‹ gekommen. Inzwischen habe sich die politische Lage wieder verschlechtert, der Waffenstillstand sei abgelaufen. Die Schlacht um Dresden habe sich angebahnt: Drei verhängnisvolle Monate.

»Sie kennen gewiß dieses ›Tagebuch für meine Freunde‹«, sagte Kowalsky. »Und natürlich kennen Sie den ›Goldenen Topf‹, aber ich werde Ihnen etwas zeigen, das Sie nicht kennen. Haben Sie sich schon einmal bewußt gemacht, daß diese beiden so diametral erscheinenden Texte zum Teil parallel zueinander entstanden sind – nein? Also ich habe es getan: in mein früheres Leben als Hoffmann zurücklotend.«

Mit diesen Worten stand er auf, griff in den Bücherschrank, hinter die historisch-kritische Gesamtausgabe, und brachte ein simples, blau gebundenes Schulheft zum Vorschein. »Hier ist es«, sagte er, »wenn Sie mir versprechen, es morgen zurückzubringen, können Sie es mitnehmen. Ihnen brauche ich ja nichts mehr vorzumachen – also ich wollte sagen, ich habe das ehemals im Gefängnis geschrieben. Es ist ein Versuch, ein Fragment, wie so vieles von mir – aber ich denke, es könnte Sie interessieren.«

Das tat es, wie Sie sich vorstellen können, Professor. Sehn Sie, ich bin Germanist, und obwohl mir klar war, daß ich es (im streng wissenschaftlichen Sinn) mit keinem Originaltext zu tun hatte, verbrachte ich, Kittys Kaffeemaschine lief heiß, die ganze Nacht mit dem Studium dieses höchst merkwürdigen Produkts. Das Heft war zum Teil in Latein, zum Teil in Kurrent beschrieben. Die Kurrentpassagen näherten sich nach anfänglicher Unbeholfenheit überraschend schnell dem mir wohlbekannten Hoffmannschen Schriftbild.

Ich las und las wieder. Ich war verwirrt und erschüttert. Der ›Goldene Topf‹ und die ›Drei verhängnisvollen Monate‹, jedes für sich gewissermaßen zerschnitten und zu einem neuen Ganzen zusammengesetzt: die Idee war ebenso simpel, wie einleuchtend. Gegen Morgen setzte ich mich, der Kater sah aufmerksam zu, an Kittys Schreibmaschine und begann den Inhalt des Heftes abzutippen. Ich gebe ihn hier, für Sie, in Auszügen wieder:

Am Himmelfahrtstage, nachmittags um drei Uhr, rannte ein junger Mensch in Dresden durchs Schwarze Tor und geradezu in einen Korb mit Äpfeln und Kuchen hinein, die ein altes, häßliches Weib feilbot. Schon seit der Feier des Napoleon-Festes am 10. waren täglich Truppen und Geschütz herausgegangen. Heute verließ der Kaiser mit den Garden die Stadt und zog fort auf der Straße nach Schlesien. Auf das Zetergeschrei, das die Alte erhob, verließen die Gevatterinnen ihre Kuchen- und Branntweintische, umringten den jungen Menschen und schimpften mit pöbelhaftem Ungetüm auf ihn ein. Es sollen sich Preußen und Russen der Stadt nähern (sagte Anselmus). Die gellende, krächzende Stimme des Weibes hatte etwas Entsetzliches, so daß die Spaziergänger verwundert stillstanden und das Lachen, das sich erst verbreitet, mit einemmal verstummte. Gänzliche Totenstille. Der Student Anselmus fühlte sich von einem unwillkürlichen Grausen ergriffen. Gänzliche Totenstille. Eine zahllose Menge Verwundeter wurden auf Wagen und Schubkarren hereingeführt, einer von ihnen trug ein Gesicht ohne Augen.

Als der Student schon das Ende der Allee erreicht, die nach dem Linkischen Bade führt, wollte ihm beinahe der Atem ausgehn. Kanonen, Pulverwagen wurden im Galopp zu den Toren hinausgeführt – immerwährendes Schießen; das Schwarze Tor war offen, und ich (Hoffmann) eilte nach dem Linkischen Bade, wo man die französischen und feindlichen Batterien von Pirna ganz deutlich arbeiten sehen konnte. Wir hatten am Vortag übrigens schon hereinziehen müssen vom Sand auf die Moritzstraße, der Sicherheit wegen. Trotz allem. ›Die Iphigenie in Tauris‹ war über die Bühne gegangen. Trotz allem ein Erfolg.

Anselmus aber geriet mir indes an die Elbe. Unter einem Holunderbaume, der aus der Mauer hervorgesprossen, fand er ein freundliches Rasenplätzchen; da setzte er sich hin und stopfte eine Pfeife von dem Sanitätsknaster, den ihm sein Freund, der Konrektor Paulmann geschenkt. Dicht vor ihm plätscherten und rauschten die goldgelben Wellen des schönen Elbstroms, hinter demselben streckte das herrliche Dresden kühn und stolz seine lichten Türme empor in den duftigen Himmelsgrund. Der sich hinabsenkte. Auf die blutigen Wiesen. Und aus tiefer Dämmerung. Gaben die zackichten Gebirge. Kunde.

Am nächsten Vormittag alles ganz still. Ich schrieb. Am Nachmittag hörte man tiraillieren; ich ging mit dem Schauspieler Keller zum Pirnaer Schlage hinaus, der geöffnet war, und so weit, daß die Linie der französischen Tirailleurs nur 50 Schritt vor uns stand. 300 Schritt weiter ritten einzelne Kosaken ganz ruhig hin und her und nahmen gar keine Notiz von dem Plänkern der Franzosen. Ich sah, wie einer abstieg und den Gurt des Pferdes fester schnallte, plötzlich brachen... Der Herr ist wohl nicht recht bei Troste! sagte eine ehrbare Bürgersfrau, die, vom Spaziergange mit der Familie heimkehrend, stillstand und mit übereinandergeschlagenen Armen dem Studenten Anselmus zusah. *Der* hatte nämlich den Stamm des Holunderbaumes umfaßt und rief unaufhörlich in die Zweige und Blätter hinein. Viele Franzosen fielen tot um und andere kamen blutig und schreiend zurück. O nur noch einmal blinket und leuchtet, ihr lieblichen goldnen Schlänglein! Nur noch einmal. Blicket mich an. Ihr holdseligen blauen Augen. Nur noch einmal. Ich muß. Ja

sonst vergehen in Schmerz. Und heißer Sehnsucht... Da die Kugeln bis dicht vor den Schlag niederfielen, hielten wir es für ratsam, mit vieler Schnelligkeit durch das Wilsdruffer Tor und zu Hause zu eilen.
Die Nacht hat dann dem Gefecht (dem ersten, das ich so in der Nähe angesehn) ein Ende gemacht.

Frühmorgens um 7 wurde ich durch den Donner der Kanonen geweckt. Ich eilte sogleich auf den Boden des Nebenhauses und sah, wie die Franzosen in geringer Entfernung von den Schanzen mehrere Batterien aufgestellt hatten, die mit feindlichen Batterien, welche am Fuße der Berge standen, auf das heftigste engagiert waren. Mit Hülfe eines sehr guten Glases konnte ich deutlich bemerken, daß sehr starke russische und österreichische Kolonnen (an den weißen Uniformen sehr kenntlich) sich von den Bergen herab bewegten. Als sie nun über den Strom fuhren, begab es sich, daß auf dem jenseitigen Ufer bei dem Antonschen Garten ein Feuerwerk abgebrannt wurde. Prasselnd und zischend fuhren die Raketen in die Höhe, und die leuchtenden Sterne zersprangen in den Lüften. Tausend knisternde Strahlen und Flammen um sich sprühend; der Student Anselmus saß in sich gekehrt. Eine Batterie nach der andern rückte näher, die Franzosen retirierten bis an die Schanzen, und nun wurde sogar von den Stadtwällen aus mit grobem Geschütz gefeuert. Der Kanonendonner wurde so heftig, daß die Erde bebte und die Fenster zitterten.
– Wie ist Ihnen Herr Anselmus? – Ach lieber Herr Konrektor! – Wie ist Ihnen Herr Anselmus? – Ach lieber Herr Konrektor, wenn Sie wüßten! – Um 11 Uhr kam

der Kaiser auf einem kleinen, falben Pferde über die Brücke geritten; es war eine dumpfe Stille im Volk. Er warf den Kopf hin und her und hatte ein gewisses Wesen, was ich noch nie an ihm bemerkte.

– Ei, ei, Herr Anselmus! – Ich mußte fort, weil der Brühlsche Garten besetzt wurde. – Ei, ei, Herr Anselmus! – Und ging wieder auf mein Observatorium. Zwischen 4 und 5 donnerten die Kanonen am heftigsten, Schlag auf Schlag, man konnte die Kugeln sausen hören. – Ei, ei, Herr Anselmus, ich habe Sie immer für einen soliden jungen Mann gehalten. Ich bemerkte es zuerst, man wollte mirs aber nicht glauben. Gleich darauf stürzte in einer Entfernung von höchstens 25 Schritt eine Feuermauer, von einer Kugel getroffen, ein. Wir gingen herab, da unser Aufenthalt oben jetzt lebensgefährlich wurde. Eben wollt ich in meine Haustür treten, als zischend und prasselnd über meinen Kopf eine Granate wegfuhr und nur 15 Schritt weiter, vor der Wohnung des Generals Gouvion Saint-Cyr, *zwischen vier gefüllten Pulverwagen,* die eben zur Abfahrt bereit standen, niederfiel und sprang, so daß die Pferde, sich bäumend, Reißaus nahmen. – Wenigstens dreißig Personen standen daneben auf der Gasse, und *außer dem, daß die Pulverwagen* verschont blieben, deren Explosion das ganze Stadtviertel vernichtet hätte, *wurde kein Mensch, kein Pferd beschädigt.* Es ist unbegreiflich, wo die Stücke der Granate geblieben sind, da in unserem Hause nur ein ganz unbeträchtliches gefunden wurde, welches die Fensterladen des unteren Stocks zerschlagen hatte und in ein unbewohntes Zimmer gefallen war. Wenige Minuten darauf kam eine zweite Granate, riß ein Stück vom Dache des gegenüberstehenden, Cagiorischen Hauses weg und drückte drei Fenster der Mezzane zusammen, daß das Holzwerk und die Ziegelsteine prasselnd auf die Gasse stürzten. Bald darauf fiel eine dritte in der Nebengasse in ein Haus, und es wurde mir klar, daß die Batterie gerade auf unser Stadtviertel spielte. Alle Bewohner des Hauses – Frauen – Männer – Kinder – versammelten sich auf der gewölbten, steinernen Treppe des ersten Stocks, die aus der Richtung der Fenster lag. Da gab es bei jeder Explosion der jetzt häufiger, doch in größerer Entfernung hineinfallenden Granaten ein Jammern und Wehklagen! – Nicht einmal ein Tropfen Wein oder Rum zur Herzstärkung – ein verdammter, ängstlicher Aufenthalt. Aber lieber Vater, sagte da Paulmanns älteste Tochter Veronika, ein recht hübsches blühendes Mädchen von sechzehn Jahren: es muß dem Herrn Anselmus doch was Besonderes begegnet sein.

Ktch! – Ich schlich leise zur Hintertüre hinaus und durchs Hintergäßchen zum Schauspieler Keller. Wir sahen ganz gemütlich mit einem Glase Wein in der Hand aus dem Fenster, als eine Granate mitten auf dem Markte niederfiel und platzte. In dem selben Augenblick fiel ein westfälischer Soldat, der eben Wasser pumpen wollte, mit zerschmettertem Kopf tot nieder und ziemlich weit davon ein anständig gekleideter Bürger. Dieser schien sich aufraffen zu wollen, aber der Leib war ihm aufgerissen, die Gedärme hingen heraus, er fiel tot um. Und, teuerste Mademoiselle, werter Herr Konrektor! nahm der Registrator Heerbrand das Wort, sollte man denn nicht auch wachend in einen gewissen träumerischen Zustand versinken können? Noch drei Menschen wurden von derselben Granate an der Frauenkirche hart verwundet. Der Schauspieler Keller ließ sein Glas fallen – ich trank das meinige aus und rief: Was ist das Leben? Nicht das bißchen glühend Eisen vertragen können, schwach ist die menschliche Natur! – Ach, geehrtester Registrator, erwiderte der Konrektor Paulmann, Sie haben immer so einen Hang zu den *Poeticis* gehabt. Gott erhalte mir die Ruhe und den Mut in Lebensgefahr, so übersteht sich alles besser! Es gelang mir, den Kaufmann Schmidt aus seinem verschlossenen Gemach hervorzutreiben; der belud mich mit Wein und Rum für meine Hausgenossen. Ich trat wieder ein wie eine Erscheinung des Trostes und der Beruhigung. – Eine der Frauen (Mad. Stein), die gerade im obersten Stock wohnte, hatte den Mut gehabt, allerlei nützliche Lebensmittel herabzubringen. Das war alles bonum commune, und uns allen, die wir kein Mittag gegessen, schmeckte es im Biwak auf der Treppe herrlich. Das Kelchglas ging fleißig herum, und unter dem Donner der Kanonen, unter dem Prasseln der Granaten, ging uns allen ein fröhlicher, guter Humor auf. Der immer der Nachklang einer durch Gefahr exaltierten Stimmung ist, und da verfällt man leicht in das Phantastische und Romanhafte.

Aber dem Studenten Anselmus tat es wohl, daß man sich seiner in der höchst betrübten Lage, für betrunken oder wahnwitzig gehalten zu werden, annahm. Unerachtet es ziemlich finster geworden, glaubte er doch zum ersten Mal zu bemerken, wie Veronika recht schöne, dunkelblaue Augen habe. Meine Frau hielt sich tapferer als alle andern, und das in ihrem – immer noch nicht ganz wiederhergestellten – Zustande. Ohne daß ihm jedoch jenes wunderbare Augenpaar, das er in dem Holunderbaum geschaut, in Gedanken kam. Erst als es ganz finster war, ließ das Schießen nach. Das Kammermädchen der Gräfin Breza trat vor die Haustür, vor welcher der Wagen stand, der die Gräfin in Sicherheit in ein anderes Stadtviertel bringen sollte; in ebendemselben Augenblick wurde sie aber von einer Granate im strengsten Sinn des Wortes *zerrissen*. Einer Hebamme aus der Pirnaer Vorstadt wurde, als sie zum Fenster hinausschaute, der Kopf weggerissen; ebenso verlor ein Handlungskommis, der im Comptoir saß, den Arm. Überhaupt war dem Studenten Anselmus mit einemmal nun wieder das Abenteuer unter dem Holunderbaum ganz verschwunden.

Die Nacht verging ruhig. Schon am frühen Morgen suchte er (Anselmus) seine Bleistifte, seine Rabenfedern, seine chinesische Tusche zusammen. Erst um 8 Uhr morgens ging eine lebhafte Kanonade an, daß die Fenster bebten. Vor allen Dingen musterte und ordnete er seine kalligraphischen Meisterstücke und seine Zeichnungen. Es fiel unaufhörlich Regen, man konnte daher nicht viel bemerken. Ich (Hoffmann) schrieb: Alles ging glücklich vonstatten, ein besonderer Glücksstern schien über ihm zu walten, die Halsbinde saß gleich beim ersten Umknüpfen. Ich (Hoffmann) schrieb: Punkt halb zwölf Uhr stand der Student Anselmus in seinem hechtgrauen Frack und seinen schwarzatlasnen Unterkleidern, eine Rolle Schönschriften und Federzeichnungen in der Tasche, schon auf der Schloßgasse in Conradis Laden und trank – eins – zwei Gläschen. Nachmittags entfernte sich das Schießen, und man erfuhr, daß die russische und österreichische Armee 5 Stunden weit zurückgedrängt worden. Abend kamen ungefähr 2 bis 3 hundert russische und preußische und wohl an die 10 000 österreichische Gefangene wie auch 4 österreichische Fahnen und Kanonen.

Seit gestern fiebert auch Mischa wieder ein wenig. Die Russen und Österreicher standen auf den Höhen von Kesselsdorf, man hörte sehr deutlich Kanonen und Pelotonfeuer. Über die Elbbrücke bemerkte ich eine augenscheinliche Retirade der Franzosen. Unerachtet des weiten Weges, bis in die einsame Straße, in der sich das uralte Haus des Archivarius Lindhorst befand, war der Student Anselmus (seit übergestern nicht weiter voran gekommen) vor 12 an der Haustür. Dort war er noch immer, den folgenden, schrecklichen Tag. Ich ging vor den Moszynskischen Garten und sah zum ersten Mal in meinem Leben *ein Schlachtfeld.* Erst heute hatte man angefangen, aufzuräumen, und zwar wurden, wie ich bemerkte, zuerst die gebliebenen Franzosen nackt ausgezogen und in große Gruben zu 20, 30 verscharrt. Du Narre, du Narre, warte! Warum warst hinausgerannt, Narre? – Hier hatten die russischen Jäger unter dem wütenden Feuer der französischen Kanonen gestürmt, das Feld war daher überdeckt mit Russen, zum Teil auf die schrecklichste Weise verstümmelt und zerrissen. So zum Beispiel sah ich einen, dem gerade die Hälfte des Kopfes weggerissen

– ein scheußlicher Anblick. Pferde – Menschen – daneben Gewehre – Säbel – gesprengte Pulverwagen – Tschakos – Patronentaschen – alles in wilder Unordnung durcheinandergeworfen. Auf manchem unverstümmelten Gesicht sah man noch die Wut, den Grimm des Kampfes, einer hatte gerade in die Patronentasche gegriffen, um frisch zu laden, und so hatte ihn der Tod getroffen – ein russischer Offizier, ein herrlicher, schöner Jüngling (höchstens 23 Jahre) hielt noch den Säbel über dem Kopf geschwungen in der rechten Hand und war so zum Tod erstarrt. Mir schien es, als bewege sich etwas im Grase in geringer Entfernung. Ich teilte es meinem Begleiter, dem Advokaten Cunradi mit, wir gingen darauf zu, und siehe da, ein Russe, dem beide Füße auf das jämmerlichste zerschossen waren, so daß alles von geronnenem Blut klebte, saß ganz gemütlich aufrecht und zehrte von einem Stück Kommisbrot. *So lag der Mensch seit dem 26. August nachmittags.* Entsetzt taumelte der Student Anselmus zurück, er wollte den Türpfosten ergreifen, aber seine Hand erfaßte die Klingelschnur!

»Na?« sagte Kowalsky, als ich ihm das Manuskript am nächsten Abend zurückgab, »hat Ihnen mein Opus gefallen?« – »Gefallen«, sagte ich, »ist nicht das richtige Wort.« – »Ich weiß, ich weiß«, sagte er, »gefallen ist etwas anderes« (die Fältchen in seinem Gesicht zuckten). »Aber vom *literarischen* Standpunkt ... ich meine, Sie als Germanist müßten doch etwas davon verstehen ...: also wenn ich das da« (er stellte das Heft zurück hinter die Gesamtausgabe) »an eine der heutigen Literaturzeit-

schriften geschickt hätte – glauben Sie, hätte ich Chancen?«
Ich wußte es nicht.
Er grinste: »Wo würden die Herrschaften das einordnen? – Wäre das Neuer Realismus? … Oder Altes Sprachspiel? … Wäre das zureichend engagiert? … Wäre das (wie ich höre, ist diese ästhetische Voraussetzung für manche von diesen Hinterheravantgardisten schon beinah eine moralische!) 150 Jahre nach dem ›Kater Murr‹ noch immer oder schon wieder innovatorisch? … Wissen Sie, wenn unsereins wirklich so zu schreiben versuchte, wie uns ihr Nachleser das vorschreiben wollt, wäre uns das Dichten längst vergangen!
Damals, vor 150 Jahren, war der Literaturbetrieb jedenfalls noch nicht so kompliziert wie jetzt. Oder zumindest *mir* erschien er nicht so kompliziert, obwohl ich mich letztendlich doch (sozusagen gegen meine eigene Konzeption) zumindest *auch* als Literat fühlte. Kunz teilte mir mit, er hätte Jean Paul überredet, ein Vorwort zum 1. Band der Phantasiestücke zu schreiben, und assignierte die Übersendung von 24 Bouteillen Wein als Honorar. Ursprünglich war ich gegen ein Vorwort gewesen, dann ließ ich mirs (Paul war, so Kunz, ganz begeistert) halt recht sein, der Wein, gegen den ich nie was hatte, erwies sich leider (durch den Transport geschädigt?) als hundsmiserabel, aber es gab ganz einfach andere Sorgen.
Und zwar sowohl in der Kunst als im Leben auch. Ende August sah Seconda sich gezwungen, das Theater zu schließen. Zwar zahlte er vorläufig weiter, aber wie lang noch? Und Mischa war trotz (oder gerade wegen) ihrer ewigen Tapferkeit noch immer nicht ganz genesen.

Was mich betraf, war ich auch nicht gerade gesund. Doch ich betäubte Körper und Seele durch Rauchen und Trinken. Obwohl sich die militärische Lage vorläufig beruhigt hatte, wollten mir die Eindrücke der letzten Wochen nicht aus dem Kopf. Verstümmelte, zerrissene Menschen – ich hatte so etwas manchmal im Traum gesehn, jetzt hatte es sich auf furchtbare Weise bewahrheitet.
Und dann begegnete ich Napoleon. Mit Keller und Mautz, einem jungen Nachbarn, vom Bade kommend, geriet ich ihm, den Hegel als Inkarnation des Weltgeists interpretiert hatte, auf der Elbbrücke in den weltgeschichtlichen Weg. Nun hatte ich ihn schon einige Male gesehn, er hatte mir übrigens (auch das unterscheidet mich von Goethe) nie imponiert. Aber diesmal erschien er mir wie die Inkarnation eines apokalyptischen Reiters. Diesmal traf mich sein Blick: der Blick der Macht. Der Blick eines Gestiefelten, der ein lästiges Insekt sieht. Da *sah* ich auch: ich wurde gewahr: mir wurde bewußt. Es ging nicht um Napoleon, der, vom Pferd herabgestiegen, kaum größer als ich gewesen wäre; sondern um ein tatsächlich von ihm, mit etwas mehr als anderthalb Meter vom Scheitel bis zur Sohle (mit Dreispitz sah er nach mehr aus) verkörpertes Prinzip. – Wenn *das* in der Optik Hegels der Weltgeist war! Also dessen Zyklopengang konnte ich und meinesgleichen nur schleunigst ausweichen. ›Voyons!‹ brüllte er, der Kaiser, mit dem nun unverstellten Tyrannenblick, einem Adjutanten zu, ja, voyons, sehen wir! – (Übrigens hat ja Herr Hegel auch den preußischen Staat, mit dem ich, das können Sie mir glauben, meine Erfahrungen gemacht habe, als die bis dahin höchste Entwicklung des zwischenmenschlichen Le-

bens gesehn: also ich sage Ihnen, der Mann hatte einen Sehfehler!)«

DER KATER und ich, Professor – ich und der Kater … Ich, wie ich schreibe, er, wie er mit seinen großen Vorderpfoten das Lammfell (Kittys Bettvorleger) tritt, die Augen versonnen verdreht Richtung Zimmerdecke… Ich und der Kater, Professor – der Kater und ich… Er, wie er auf dem Fensterbrett sitzt, verlängerten Halses, aufgeregt zitternden Unterkiefers, und die Tauben auf dem gegenüberliegenden Dach beschimpft, ich, wie ich schreibe, immer noch meine (Hoffmanns ((Kowalskys))) Geschichte schreibe, mit der ich fertigwerden will, mit der ich fertigwerden muß.

DIE NÄCHSTEN Tage erzählte Kowalsky noch immer von Dresden. Daß Hoffmann während der theaterlosen Zeit häufig die Gemäldegalerie besucht oder in der Dreysigschen Singakademie Zuflucht und Ansprache gefunden habe. Daß er den ›Goldenen Topf‹ trotz des deutlichen Gefühls, damit das Beste zu schaffen, dessen er fähig sei, nach Entwurf der ersten beiden Vigilien unterbrochen und einige kleinere Arbeiten beendet habe, der finanziell unmittelbar wirksamen Veröffentlichung in Zeitschriften wegen. Daß schließlich Napoleon Dresden verlassen, Seconda den Betrieb wieder aufgenommen, und er selbst (wenn auch unter indiskutablen Bedingungen) die ›Zauberflöte‹ dirigiert habe, die er noch immer liebe und deren Einfluß auf den ›Goldenen Topf‹ nicht unerheblich sei. – Mir aber fiel es schwerer und schwerer, ihm zuzuhören. Ich meine, Professor, verstehn Sie mich recht –: konzentriert. Nicht, daß mich seine Erzählungen nicht nach wie vor interessiert, ja fasziniert hätten. Aber daß Kitty (das Rockfestival in Amsterdam war, wie ich den Zeitungen entnommen hatte, inzwischen vorbei) weder zurückkam noch von sich hören ließ, gab mir zu denken und lenkte mich gründlich ab.
Wie sich herausstellte, konnte mir Kowalsky das mehr als nachfühlen. Eines Abends unterbrach er sich mitten in einem Kommentar, die sich anbahnende Schlacht bei Leipzig betreffend, abrupt und schlug vor, doch wieder einmal in den ›Zwiebelfisch‹ zu gehn. »Ohnehin wollte ich lange schon«, sagte er, »reden mit Ihnen. Von Mann zu Mann. Über uns. Das heißt über Kitty.« – Im ›Zwiebelfisch‹ schlug er dann vor, wir könnten uns duzen. – »Also hör zu«, sagte er, »das zwischen dir und ihr, das

hab ich akzeptiert. Will sagen« (er lächelte trüb in sein Glas), »was sollte ich machen? Obwohl die Tatsache, daß ausgerechnet *du* oder daß sie ausgerechnet *dich* – aber lassen wir das beiseite... Worum es jetzt geht, das ist etwas anderes: stimmts, sie ist weg? – Wo ist sie? Ich mache mir Sorgen um sie. Das hat seine Gründe. – Sie ist – in gewisser Hinsicht – noch immer ein Kind. – Ein gefährdetes Kind. Du verstehst, was ich meine?«

Ich sagte: »Nicht ganz.« (Ich *wollte* nicht ganz verstehn).

»Also schau«, sagte er, »sie hat dir doch sicher viel über unser Verhältnis erzählt. Es war schicksalhaft, aber gewiß ein Problem. Ich meine, im Anfang, da war sie ja wirklich noch ein kleines Mädchen; aber dann, als sie von Bamberg weg war – also seither ist sozusagen ein Sprung in ihrer Psyche.«

»Was soll denn das heißen?« (Der Ausdruck ärgerte mich). »Das soll heißen, sie war ziemlich hinüber. Sie hat – der Arzt hat das so ausgedrückt – ein extremes Assimilationsbedürfnis und dann wieder das Gegenteil. Wirft sich – entschuldige – den merkwürdigsten Typen in die Arme, um dann, ein zwei Wochen später, womöglich bis ans andere Ende der Welt, vor ihnen zu fliehn.«

Jetzt wurde ich wütend. Die seit langem aufgestaute Aggression gegen Kowalsky fand endlich ein Ventil:

»Was heißt da, merkwürdige Typen? Wer war denn der erste merkwürdige Typ? – Und Sprung in der Psyche! Was ist denn mit *deiner* Psyche? – Und wer, wenn nicht du, hat ihr ihren denn zugefügt?!«

Doch da, Professor, vollzog er wieder eine jener unerwarteten Kehrtwendungen:

»Daß ich Hoffmann bin«, sagte er ganz ruhig, »das ist ja

zuallererst meine Sache, nichtwahr? Aber daß *sie* Julia ist, vielleicht hätte ich ihr das wirklich nicht sagen sollen... Wie dem auch sei: sobald du was von ihr hörst, tu mir die Liebe und teils mir mit.«

Ich hörte *nichts* von ihr. (Jedenfalls nicht, so lang Hoffmann in Dresden blieb). »Das mußt du dir vorstellen«, sagte Kowalsky,« nach Napoleons Niederlage bei Leipzig wurde alles noch schlechter. Wir waren völlig von der Umgebung abgeschnitten. Abends um sieben schon wurden die Tore geschlossen, morgens um neun erst wieder geöffnet. Man bereitete sich auf eine Belagerung vor. Ende Oktober erließ die Militärverwaltung den Befehl an die Einwohner, sich entweder für zwei Monate mit Lebensmitteln zu versorgen oder die Stadt zu verlassen. Letzteres taten auch einige, doch hatte die Erlaubnis zum Auszug kaum einen Tag bestanden, da wurden schon die dazu nötigen Pässe verweigert. Es hieß, daß die Russen Dresden völlig eingeschlossen hätten; im Theater probten wir den ›Dorfbarbier‹. Dann kam der Befehl, die Lebensmittel zu registrieren. Die Dresdner bewiesen Galgenhumor: ich erinnere mich, daß von einem die Rede ging, der auf der vorgedruckten Tabelle in der Rubrik ›Schlachtvieh‹ seinen Kanarienvogel angab. Zwar drohten die Franzosen: eher, soll der Graf von Dumas öffentlich erklärt haben, müßten alle Bürger verrecken, als daß auch nur ein einziger seiner Soldaten den Hungertod erleide. Aber, sagten die Dresdner, da kaum mehr anständig gekocht wird, wird auch kaum mehr so heiß gegessen werden. Obwohl das – in bezug auf die Strenge der allmählich aus den Fugen geratenden militärischen Organisation – einigermaßen zutraf, wurde, was in den folgenden Wochen auf uns zukam, elend bis furchtbar. Als Anfang November das Heizmaterial ausging, schlugen die Franzosen die städtischen Gärten kahl. Das Fleisch und das Brot wurden knapp, gottseidank reservierte mir Schmidt, der Kaufmann, ein paar Flaschen Rum. So konnte ich, ohnehin ein guter Trinker, Mischa ein weniges mehr zum Beißen lassen. Außerdem wärmte mich die Musik zur ›Undine‹. Ich schrieb sie, so gut ich das unter diesen Bedingungen konnte. Die Franzosen zogen sich von den Schanzen in die Stadt zurück, eine mit Kopfschmerz und Schwindel beginnende, tödlich endende Seuche dezimierte Bevölkerung und Besatzer. Soldaten auf den Straßen auf das jämmerlichste sterben zu sehn, war etwas ganz Gewöhnliches – auf dem Neustädter Friedhof türmten sich steifgefrorene Leichen. Ich stand das – so hypochondrisch ich sonst war – durch. Geschieht es nicht jetzt, geschieht es später, geschieht es jetzt, geschieht es später nicht – ich hielt mich an Hamlets Fatalismus. Eine Woche vor der französischen Kapitulation dirigierte ich noch immer. Ein bißchen krank zu werden, erlaubte ich mir erst, als wir das Schlimmste überstanden hatten.«

»UND WIEDER nach Leipzig«, erzählte Kowalsky von Hoffmann. (Ich hatte noch immer nichts von Kitty gehört.) Zum Unterschied von der Herfahrt hatten wir, Seconda und Co, diesmal verhältnismäßig bequeme Wagen. Aber ich fühlte mich matt und ungewohnt gleichgültig. Aus den Fenstern schauen wollte ich nicht. Ich kannte inzwischen den Anblick verbrannter Felder. Wo wir herkamen, war ich nicht gern gewesen, wo wir hinfuhren, würde ich nicht gern sein. Wo ich gern gewesen wäre, würde ich wohl nie hinkommen, so viel war allmählich absehbar.

In Leipzig erwartete uns ein zu kleines Logis – nicht besser und nicht schlechter als die andern, die wir in den letzten Monaten bewohnt hatten. Wir packten unsere Siebensachen aus, aber ohne Überzeugung, wer weiß wie bald mußten wir wieder einpacken. Als Mischa (wir wollten zum Einstand noch ausgehn) vorm Spiegel stand und sich die Locken über die Narbe frisierte, trat ich hinter sie und wollte sie auf die Schulter küssen. Doch da erschrak ich: ich sah eine unjunge, unglücklich wirkende Frau, und einen gealterten Mann mit einem Verzichtsgesicht.

Das ging mir die nächsten Tage nicht aus dem Kopf. Was war aus uns geworden, und wozu hatten wir all das auf uns genommen? Hab ich Geburtstag? fragte Mischa, als ich ihr, obwohl mein von Seconda bezogenes Honorar nach wie vor kaum zum Leben ausreichte, eines abends ein schönes, altsilbernes Collier schenkte. ›Zur Feier der überwundenen Schwierigkeiten‹, sagte ich, aber tatsächlich hatte ich ein schlechtes Gewissen.

Übrigens nicht nur ihr, sondern auch mir selbst gegenüber. Immer deutlicher hatte ich das Gefühl, daß mich die tägliche Banalität am Theater von allem Besseren, das ich je im Sinn gehabt hatte, abhalte. Ich schützte ein Wiederaufkeimen der in Dresden nur schlecht und recht überwundenen Krankheit vor und blieb – konsequent komponierend und schreibend – zu Hause. So brachte ich die ›Undine‹ zu Ende und den ›Goldnen Topf‹ weiter, aber da ich (Seconda besuchte mich und äußerte – nicht ganz mißtrauensfreie – Erleichterung über mein erholtes Aussehen), da ich ja doch wieder ans Theater zurück mußte, war der Widerspruch, den ich jetzt immer krasser empfand, natürlich nicht gelöst.

Er *sollte* sich lösen. Allerdings anders, als ich es hoffte. (Wenn die ›Undine‹ und die zwei ersten Bände der ›Phantasiestücke‹ einigermaßen erfolgreich wären, ja dann...!) Er *sollte* sich lösen. Allerdings eher, als ich es fürchtete. Ich hatte damals in Dresden wieder meine Albträume. Und meine Angst, sie möchten wahr werden.

Ich träumte zum Beispiel, ich läge im Bett und könnte mich nicht rühren. Das war auch kein Wunder, war ich doch von oben bis unten bandagiert wie eine Mumie. Ärzte umstanden mich und bereiteten eine Operation vor. Was fehlt mir denn? wollte ich fragen, aber da der Verband nur meine Augen freiließ, konnte ich auch nicht reden. Sie murmelten etwas, das klang wie ein ferner Chor. Sie nickten und schüttelten die Köpfe, sie flüsterten, wandten sich von mir ab und wieder mir zu. Dann brachte einer von ihnen, ein kichernder Gnom, eine Säge zum Vorschein. Tja, Herr Kollege, verstand ich ... wird das beste sein ... wird sich nicht vermeiden lassen.

Und dann – vielleicht war das jedoch schon ein anderer

Traum – erlebte ich mich zweigeteilt. Einerseits saß ich auf einem für meine Größe übrigens viel zu hohen Stuhl hinter einem ebensolchen Schreibtisch, anderseits tanzte ich, mit merkwürdig exaltierten Bewegungen (wie ein Ballettmeister) vor mir selbst davon. Komm! rief der eine Hoffmann, Wart! rief der andere und versuchte, sich vom Stuhl zu erheben. Aber da merkte er, daß seine Beine, die soeben noch gebaumelt hatten, nicht mehr ganz da, sondern, etwa von der Mitte der Oberschenkel an, mit den Stuhlbeinen verwachsen waren, und sein inzwischen zur Tür hinaus tanzender Doppelgänger lachte.
Doch über alle Ängste hinweg, allen Ängsten zum Trotz, brachte ich den ›Goldnen Topf‹ fertig. Das wars, was ich mir gewünscht hatte: Gott lasse mich nur das Märchen enden, wie es angefangen. Der Student Anselmus fand sein blauäugig grünes Schlänglein, in das er sich absurderweise verliebt hatte, in Serpentina, die ihm von Anbeginn bestimmte Mädchenfee, verwandelt. Und wenn sie nicht gestorben sind, dann lieben sie noch heute in Atlantis. – Das war auch für uns, die wir hier bleiben mußten, ein Grund zum Feiern. Mischa bereitete, während ich die letzten Seiten reinschrieb, Punsch, wir verbrachten den Abend in gemütlicher Zweisamkeit; als sie sich auszog, um mit mir zu Bett zu gehn, sang sie seit langem zum ersten Mal wieder ein polnisches Lied. Dann schlüpfte sie zu mir, rollte ihr Nachthemd hoch und schmiegte sich an mich. Und wir liebten uns sehr, obwohl weder ich Anselmus, noch sie Serpentina war.
Der folgende Tag war klirrend kalt (es war Feber). Auf dem Weg zum Theater hüllte ich mein Gesicht fast ganz in den wollenen Shawl, den mir Mischa zu Weihnachten

gestrickt hatte. Das Theater war zu den Proben nicht geheizt, mit dem Notizblock im Zuschauerraum sitzend konnte ich meine Rückenschmerzen nicht verbeißen. Das lag unter anderem daran, daß mir die Zähne klapperten: auch die Schauspieler auf der Bühne froren erbärmlich.
Ein Sänger mit Namen Fischer hustete elend. Da überdies das Ballett bis zu seiner für diesen Tag letzten Arie endlos lang dauerte, schickte ich ihn nach Hause. Auch der Rest des Ensembles war dankbar für die Kürzung. Allein Seconda (Seconda allein) war es nicht. – Ich säße, sagte er, für den Teufel oder die Katz da. Dafür bezahle er mich nicht, daß ich hier einen derartigen Schlendrian einreißen lasse, außerdem wolle ich ja nur selbst wieder auskneifen. Natürlich wehrte ich mich, so abgekanzelt zu werden, noch dazu vor der ganzen Belegschaft. ›Herr Seconda‹, sagte ich, ›so können Sie vielleicht mit ihren Lakaien oder Stallknechten reden, aber nicht mit mir!‹ So könne er nicht mit mir reden? Und ob er das könne! Er könne (das schrie er), ich werde mich wundern, noch andere Sachen! Nachmittags darauf, just bevor ich zur Probe aufbrechen wollte, klopfte es an der Tür. Da brachte mir ein zum Laufburschen degradierter Bühnenarbeiter den Brief mit Secondas Kündigung.

»Das«, sagte Kowalsky, »war natürlich ein Schock. – Keinerlei Nachricht von Kitty? – Nein? – Du, ich mach mir ernsthafte Sorgen! – Wo war ich stehengeblieben? Ach ja, bei Secondas Kündigung. Also ein Schock war das. Wir standen wieder vor dem Nichts. Was tun? Ich ging hin und nötigte den sauberen Herrn Direktor, mir eine letzte Gage zu zahlen. Er war zwar der Ansicht, daß er mir nichts mehr schulde, ließ sich aber schließlich, offenbar um mich endlich loszuwerden, doch noch überreden. ›Da nehmen Sie‹, sagte er, seine Basedowaugen rollend, ›und verschwinden Sie! Sie hängen mir zum Hals heraus!‹ Das beruhte auf Gegenseitigkeit.

Diese Gage war das letzte Geld bis auf weiteres. Dessen eingedenk zogen Mischa und ich in ein billigeres Quartier. Ich schrieb Briefe an Kunz, Rochlitz und Härtel, schwatzte etwas von meinem säumigen Geschäftsträger in Königsberg (ein Gespenst, das ich schon einige Male beschworen hatte); sie schienen nicht mehr dran zu glauben. Als bis Mitte März von keinem der drei Herren Antwort und schon gar kein Vorschuß kam, mußten wir noch einmal umziehn – das Zimmer, in dem wir nun logierten, konnte man auch für Stunden mieten...

Nun kam auch die Krankheit, die ich monatelang zurückgedrängt hatte, voll zum Ausbruch. Nicht nur plagten mich die üblichen rheumatischen Schmerzen, die ich schon kaum mehr beachtete, sondern das Übel warf sich auch auf die Brust. Der von der Wirtin herbeigerufene Arzt, kahlköpfig, vogelnäsig, zynisch und schmierig, hieß zu allem Überfluß Dr. Geyer. ›Na schön‹, sagte er, und applizierte ein bidetartiges Becken ans Bett, ›dann werden wir den Herrn halt ein bißchen zur Ader lassen.‹

Von diesem Aderlaß noch mehr geschwächt als zuvor, schrieb ich abermals an Kunz. Bot ihm die ›Elexiere des Teufels‹, deren Plan ich zum Teil im Fieber skizziert hatte, binnen fünf Wochen an, also noch rechtzeitig für den Verkauf zur Ostermesse! Ich hätte ja, schrieb ich, jetzt nichts weiter zu tun. Sitze auf dem Bett, hinter meinem

Rücken türmten sich eine Unzahl Kissen, die Füße seien mit Flanell, die Handgelenke mit Müffchen umwickelt (wie er auf beigelegter Zeichnung sehen könne), sei also mit einem Wort ausgezeichnet disponiert zum Schreiben. – Das schien ihn leider auf falsche Gedanken zu bringen. ›Hoffmann!‹ schrieb er, ›du bist und bleibst ein komisches Talent, schreib doch lieber wieder etwas Lustiges! Was die Finanzen betrifft, so bin ich, obwohl das, wie mir bewußt ist, für einen Weinhändler unglaubhaft klingt, momentan selbst nicht sehr liquid. Was ich vorerst vermag, ist, Dir (soeben veranlaßt) eine neue Kiste Wein zu schicken, vielleicht tut es Dir gut, ihn heiß zu trinken...‹
Das tat ich (– so schmeckte sein Wein auch besser, als kalt). Bevor allerdings die Bouteillen kamen, kam, diesmal mündlich, durch Keller, benachrichtigt, Rochlitz. ›Mein Gott!‹ rief er, über den Zustand, vor allem jedoch über die Umgebung, in der er mich vorfand, sichtlich betroffen, ›mein Gott, wie stehts denn um Sie?‹ – ›Wie Sie sehen, steht es gar nicht‹, sagte ich, so gut ich konnte, witzelnd, ›sondern es liegt, und krumm genug dazu!‹ – Nun, Rochlitz war, ich habe das schon erwähnt, ein Mann mit Stil. Er fragte mich nicht, aber als ich ihm trotzdem sagte, daß ich im Augenblick gezwungen sei, von antinapoleonischen Karikaturen zu leben (der Zufall wollte es, daß ich gerade eine in Arbeit hatte), kaufte er mir ein Dutzend ab. ›Das fürs erste‹, sagte er, ›die Taler diskret unter das Brett schiebend, auf dem ich, im Bett lungernd, zeichnete. ›Aber fürs weitere muß man sich was überlegen...‹
Hippels Erscheinen in Leipzig kam also – um jetzt, hun-

dertfünfzig Jahre danach, die Wahrheit zu sagen – nicht ganz so unerwartet, wie ich es damals darstellte. Allerdings – und auch das muß gesagt werden – hatte ich schon gewußt, warum ich so lang zögerte, ihn direkt oder indirekt von meiner katastrophalen Lage zu informieren. Nicht nur war mir die Vorstellung, gerade ihn, der etwas geworden war in einer Welt, die ich genaugenommen verachtete, neuerlich, und aus einer nie zuvor dagewesenen Situation des Scheiterns um Hilfe anzubetteln, fast unerträglich. Ich war auch erschöpft, fühlte, daß meine Widerstandskraft gegen all das, was ich hinter und unter mir zu lassen versucht hatte (jenes philisterhafte Sicherheitsdenken und Fühlen, jenes vor lauter Nebensachen keine Hauptsachen mehr Sehenwollen oder -Können, jenes mehr oder minder komfortable Vegetieren anstelle von Leben, wohlgemerkt Leben, eine Haltung – oder genauer ein Mangel an Haltung – die oder der sich ja übrigens, wenn Sie mich fragen, bis heute unglaublich verbreitet hat und nicht nur die in den Ländern, sondern auch die in den Seelen herrschende Ideologie geworden ist, und daneben – von darüber will ich gar nicht sprechen – ist für nichts mehr Platz, Phantasie, mein Lieber, ist funktional oder gar nicht zu gebrauchen, Freiheit gehört in die Freizeit...) also ich fühlte, daß meine Widerstandskraft gegen all das nachließ, daß ich allmählich zu ausgelaugt, ausgepumpt war, mich dem weiter zu verweigern. Und Hippel verhielt sich genauso wie ich erwartet (befürchtet) hatte. Spielte aus der großen Wirklichkeit (Paris, wo er an den Friedensverhandlungen teilgenommen hatte) in unsere kleine Unmöglichkeit getreten, den Exekutor des Realitätsprinzips. Als solcher hatte er auch

Prinzipielles zu sagen. ›Ernst‹, sagte er, ›nicht, daß es mir ums Geld geht, aber wenn ich dir jetzt wieder etwas leihe, und einen Monat später wieder und dann wieder – das hat doch keinen Effekt.‹
Da war ich zwar anderer Meinung, aber es zeichnete sich ab, worauf er hinauswollte. ›Also so kannst du – so könnt ihr – nicht weiter leben!‹ (Jetzt diente ihm auch Mischa, um die er sich bisher nicht gekümmert hatte, als Argument). ›Sieh deine Frau an, sie leidet, auch wenn sies nicht zugibt – also Ernst, im Ernst, wenn du allein wärst ... aber so ... du hast doch nicht nur dir selbst, sondern auch ihr gegenüber eine Verantwortung!‹
So bekam er mich weich. ›Also schau, alter Freund, ich will doch nur dein Bestes. Du wirst dich jetzt aufsetzen, ja? – vorher darfst du noch, fast hätt ichs vergessen, einen großen Schluck von diesem exquisiten Cognak trinken, den ich dir extra aus Versailles mitgebracht habe – und dann werden wir zwei, du und ich, einen hübschen Brief an Hardenberg abfassen. Das heißt, ich werde diktieren und du wirst schreiben. Ernst Theodor Amadeus Hoffmann etc. etc., an die Königlich Preußische Staatskanzlei etc. etc., betrifft: untertänigstes Ansuchen um Wiederaufnahme in den Königlich Preußischen Staatsdienst.‹«

ALS ICH an diesem Abend, in Kittys Quartier zurückgekehrt, wie ich mirs in den letzten, einsamen Tagen zur Gewohnheit gemacht hatte, entspannungshalber in der Pyramide lag, was – Einbildung oder nicht – tatsächlich zu wirken schien, klingelte es an der Tür. So schnell sprang ich – Meditation hin und her – auf und aus der Pyramide heraus, daß der Kater, bis dahin friedlich auf dem Klavier dösend, entsetzt buckelnd hochfuhr, mit einem Schwanz wie ein Eichhörnchen. Kitty, dachte ich, flatternder Seele durch Küche und Vorzimmer eilend, Kitty, oh Kitty! Doch auf dem Fußabstreifer im Korridor stand nur der Briefträger.
»Ein Expreßbrief!« sagte er vorwurfsvoll.
»Für wen?«
»Für einen Herrn Johnny Kreisler.«
Ich schluckte.
»Sind *Sie* das?«
»N-nein. Das heißt ja!«
Er schüttelte den Kopf.
Als ich den Brief entgegennahm und dem Postboten ein Trinkgeld gab, merkte ich, daß meine Hände zitterten.
Die Marke – das merkte ich gleich, da ich mich (in meiner angepaßtesten Phase) eine Zeitlang der Philatelie ergeben hatte, kam nicht aus den Niederlanden, sondern aus Italien. Ich holte tief Atem, bevor ich den Briefumschlag aufriß. »Lieber Johnny!« las ich (Kittys Schrift schwankte unentschlossen zwischen Links- und Rechtsneigung), »lieber Johnny, verzeih! Aber ich habe dort in Amsterdam einen Schweizer Klarinettisten kennengelernt, in den ich mich so verknallt habe, daß ich jetzt mit ihm hier in Verona auf der Terrasse eines kleinen Hotels sitze und

angesichts der Arena, über der, wie sichs gehört, der Vollmond hängt, auf einem Propangaskocher den Käse für ein Fondue schmelze. Wann ich von diesem Trip zurückkomme, weiß ich noch nicht. Aber ich gehe wohl nicht fehl in der Annahme, daß Dir Leszek noch immer Hoffmanns Erzählungen erzählt und Du daher noch geraume Zeit in der schönen Stadt Berlin bleibst. Solltest Du vor meiner Rückkehr abreisen, so laß den Kater sowie die Wohnungsschlüssel bei ihm (Kowalsky). Küß ihn von mir (den Kater) und sei auch Du umarmt (Du weißt gar nicht, wieviel Dich mit mir verbindet)

von Deiner
Kitty.«

»TJA«, SAGTE Kowalsky, dem ich den Brief, am nächsten Tag etwas früher als sonst bei ihm angelangt, auf den Tisch legte, atem- und wortlos, denn auf dem Weg von der S-Bahn zu ihm war die Erregung, die ich am Vorabend empfunden hatte, wiedergekehrt, und die Ungeduld, die mir bis knapp vor der Teezeit zurückzustauen gelungen war, hatte vor allem die Schritte treppauf beschleunigt – »typisch Julia, typisch Kitty; das sieht ihr ähnlich!« Er gab mir den Brief zurück. Ich war überrascht. War das alles, was er mit Kittys Mitteilung anfangen konnte?

Nun, vorerst schien es so. Er erzählte, wie immer. Erzählte, als sei Kittys Brief für ihn von bestenfalls peripherer Bedeutung. Wie er (Hoffmann) und Mischa Ende September 1814 nach Berlin zurückgekehrt seien. Und wie er, im Gegensatz zur üblichen Interpretation der in dieser Hinsicht besonders sensiblen Biographen, die diese Rückkehr (genauer war es ein Rück*fall*) in Hinblick aufs *Werk*, aber vom *Menschen* absehend, als Neuanfang sahen, gefühlt habe, daß dieser Neuanfang ein Ende sei. Natürlich, sagte er, habe er das nicht geäußert. (›Fröhlich und guter Dinge‹, notierte er in sein Tagebuch.) Erstens Mischas wegen, die es an seiner Seite endlich einmal gut haben und nicht ahnen sollte, daß er (so wörtlich) sein Leben für im wesentlichen gelebt und verfehlt erachtete. Und zweitens, weil auch die andern, Freunde und alte wie neue Bekannte, nicht wissen sollten, wie sehr er sich selbst aufgegeben und kapituliert hatte.

Nur Rochlitz gegenüber habe er (noch in Leipzig), unter dem unmittelbaren Eindruck seiner Niederlage gegen das Philistertum, voll Schmerz, Wut und Zynismus einen so wahren wie bitteren Satz gesagt. Dieser Biedermann nämlich habe sich, wahrscheinlich erleichtert darüber, daß er ihn, für den er sich doch in gewisser Weise verantwortlich fühlte, nun endlich loswurde, auf einmal direkt bewundernd über die *Herren* geäußert, die sich trotz der ungeheuren Summe höchstwichtiger und höchstdringlicher Geschäfte auch noch (und zwar binnen weniger Wochen!) mit einem Fall wie dem des – aufgrund künstlerischer Flausen – brotlos gewordenen oder zumindest gebliebenen Exkriminalrats Hoffmann befaßten. ›Nun‹, zitierte er, den Materialienband zur Gesamtausgabe aus dem Bücherregal fassend und zielsicher aufschlagend, ›bin ich denn ein Hund, den man verkrümmen läßt, wenn man mehr zu tun hat? Oder sind uns die Herren nicht schuldig, das möglichste zu tun, da wir ihnen ihr Spiel machen helfen, statt daß wir das unsrige gewinnen...‹

Ja, dieses Spiel, das er nun wieder mitspielen mußte, mit guter Miene womöglich, das böse Spiel. Zunächst sollte er für ein halbes Jahr ohne Gehalt arbeiten, ›um sich mit dem Fortschritt der Legislation in der Zeit, in welcher er vom Dienst entfernt gewesen war, bekannt zu machen.‹ Fortschritt der Legislation! Das hieß Reaktion. »Noch bevor ich ›gemäß meiner Anciennität‹ wieder als ordentlicher Rat ›einrücken‹ – beachte den Terminus! – also einrücken durfte, erfaßte mich ein durch die Jahre der ›Entfernung vom Dienst‹ (das war die Nähe zu *mir*) noch ausgereifterer Ekel gegen dieses all meinen höheren Prinzipien widerstrebende Geschäft.

›Erinnere Dich, teurer Freund! daß es nie meine Idee war, zur Justiz zurückzukehren...‹ schrieb ich Hippel nach Ablauf dieses Probehalbjahrs, aber das war eindeutig zu spät. Da hatte er, dem ich noch dazu Zeit meines weiteren (nicht mehr sehr langen) Lebens dankbar sein mußte für diesen Freundschaftsdienst, schon alles weitere organisiert: da gab es keine Umkehr. Gern berichtet wird, mit welcher Sachkenntnis und Akribie ich meine juristischen Gutachten abfaßte, ganz jenseits alles Poetischen. Aber abgesehn davon, daß *dieser* Gegensatz ein Unfug ist, denn die Poesie erfordert, das kann ich vergleichen, diese Eigenschaften, soll sie gut werden, in mindestens ebendemselben Maß, blieb mir ja kaum eine andere Wahl: der Behörde gegenüber durfte ich mir, aufgrund meines Rufs ohnehin ein verdächtiges Subjekt, zumindest im Dienst keine Unkorrektheiten leisten, und überdies trat ich diesen Dienst schon mit einer nicht unerheblichen finanziellen Schuldenlast an, die, wenn auch allmählich, zu tilgen mir Theo (mein Hauptgläubiger) besonders nahelegte.

Aber zurück zu den ersten Monaten«, sagte Kowalsky, »im ›befreiten‹ Berlin. Mischa und ich, wir bezogen also jene Wohnung in der Taubenstraße (Blindenstraße, assoziierte ich, Stummenstraße, alles, nur nicht *Lahmen*straße...) mit dem nachmals berühmt gewordenen Eckfenster. Draußen, auf dem Gendarmenmarkt, an dessen Flanken sogar die zwei pseudoklassischen Kirchen habtachtstanden, lösten einander diverse Wachen ab, *ein* Untertan, soeben von oben angebrüllt, gab das Gebrüll an den nächstunteren weiter. Doch in den Salons und Cafés, da mimte man ›geistige Freiheit‹. Dorthin verschleppte mich Hitzig, ders nötig hatte. Seine sympathische, dicke Frau war früh gestorben, die Verlagsbuch-

handlung, die er eine Weile erfolgreich geführt hatte, war, nicht zuletzt deshalb, weil die Art ›engagierter‹ Literatur, die ihm besonders am Herzen lag, nicht mehr vertrieben werden durfte, in Konkurs gegangen (was er selbst allerdings gern anders darstellte), aus seinen melancholischbraunen Augen schaute eine mehr als einmal konvertierte Seele. Jetzt stand er, wie ich, an der Schwelle zur Rückkehr in die Justiz. ›Kollege‹, sagte er, mich umarmend, ›die Zeiten haben uns fast zerstört, nichtwahr? Aber wir lassen uns nicht unterkriegen!‹
Nun, das hatten wir doch bereits getan...« Hier stockte Kowalsky. »Hörst du das?« sagte er. – Tatsächlich war ein Rumoren und Rattern zu hören. »Es schneit nicht mehr«, sagte er, »da kommen sie wieder.«
»Wer?«
»Na, die Abbruchskommandos. Von nun an gehts rasch.«
»Was?«
»Na, der Abbruch... Wir leben hier alle auf Abruf.« (Er lachte in einem Tonfall, der mir fast wehtat). »Jaja, mein Lieber. Wir sind ein Sanierungsgebiet!...
Aber wo bin ich stehengeblieben? Was wollte ich sagen? – Ach ja, die Gesellschaften, in die mich Hitzig, kaum daß ich da war, mit dem etwas krampfhaften Bestreben, mich zur populären Figur zu machen (›Der Kapellmeister Kreisler ist unter uns und – meine Damen und Herren – hier ist er...‹) allabendlich verschleppte. Ich lernte Tieck, Chamisso und Fouqué kennen, ja, Tieck, Chamisso und besonders Fouqué, unsere Undineoper sollte ja nun tatsächlich bald aufgeführt werden. Ich lernte also Tieck, Chamisso und Fouqué, ja, besonders Fouqué

kennen – entschuldige, aber ich brauche heute etwas Stärkeres als diesen Thee!«
Mit diesen Worten schnellte er auf und verschwand Richtung Küche. – »Komm!« rief er von draußen, »sieh zu, was ich braue, Punsch Marke Hoffmann! Arrak, Zitrone, Zucker, jawohl, das alles mit dem rechten Pfiff gemischt. Glaub mir, so ein gut komponierter Punsch ist das geistigste Getränk, das ich kenne – der wirkt wahre Wunder!«
Während er (mir schien das eher ein Ritus als eine Notwendigkeit) mit einem großen, hölzernen Kochlöffel umrührte, sang er leise vor sich hin. ›Glühwürmchen glimmre‹ und ›Burning ring of fire‹ in einer sehr eigenwilligen, aber – zumindest mich – durchaus beeindruckenden Kombination. Dann trug er den Topf mit – allerdings nicht unironischer – Feierlichkeit ins Zimmer. »So, mein Bester«, sagte er schnuppernd, »das wird uns guttun!« Mit einem Schöpflöffel schenkte er mir und sich ein. »Auf uns«, sagte er, »auf das Ende und den Anfang, auf den Abschied und das Wiedersehn! Auf die Zeit, auf Vergangenheit, Gegenwart und Zukunft, und auf die Ewigkeit. Und darauf, daß wir das Spiel, *unser* Spiel, Kreisler, endlich gewinnen!
Immer wieder versuchen sie, unsere Phantasie in Fesseln zu legen. In Schulen, in denen man mehr verlernt als lernt, in Berufen, zu denen man sich nicht berufen fühlt, in einer Wissenschaft, die längst nicht mehr *für*, und einer Politik, die längst schon *gegen* den Menschen da ist etc. etc. Dann scheint sie (die Phantasie) darnieder zu liegen, man kann sich bald gar nichts mehr anderes vorstellen, als die Weltherrschaft der Philister. Kaum mag man mehr

leben – und wenn man gerade tot ist, dann macht die Aussicht auf Reinkarnation überhaupt keinen Spaß mehr. Aber, Kreisler, ich sag dir, die Phantasie ist eine große Entfeßlungskünstlerin! Unversehens steht sie auf, nackt und schön, wie sie ist, und setzt sich – jetzt muß sie das lange Stillhalten ausgleichen – in Bewegung. Kennst du das Bild von Eugene Delacroix – ›La liberté guidant le peuple?‹ Wär ich als Ölmaler besser, so würd ich ein Bild malen, auf dem die *Phantasie* das Volk führt! – Anderseits«, sagte Kowalsky »habe ich Angst. Daß sie die Phantasie ersticken, vergasen, vergiften, ganz einfach in die Luft jagen! Weltweit verbrennen: sogar wenn sie selbst dabei draufgehn. (Phantasielos, wie sie sind, können sie sich das offenbar nicht vorstellen oder jedenfalls nur unzureichend!) – Was wir dagegen machen können? Ich weiß nicht! – Was *ich* versucht habe, das tödliche Spiel der Mächtigen mit lebendiger Ironie zu unterlaufen, war immerhin ein Beitrag, aber damals wars noch leichter. Klar, manchmal ist auch mir die Ironie in der Kehle stecken geblieben – dann war mir nur mehr unheimlich. Aber ich habe Hoffmann geheißen: das ist ein Mensch, der die Hoffnung (trotz allem) nicht aufgibt!«
Hier schwieg er, erschöpft und beinahe ein bißchen verlegen. Er trank und versuchte, darüber hinwegzulächeln. »Übrigens«, sagte er schließlich, »um auf etwas anderes zu sprechen zu kommen, also was Kittys Brief betrifft... Ausgerechnet Verona und ausgerechnet mit einem Schweizer Klarinettisten! – also alles, was recht ist...!«

IN KITTYS Wohnung zurückgekehrt fand ich das Photo. Eigentlich merkwürdig, daß ich es nicht schon früher entdeckt hatte, denn es steckte, sogar etwas schräg, so daß eine Ecke hervorlugte, in der marmornen Postablage auf dem Schreibtisch. Aber das lag wohl daran, daß ich bis dahin keine Post abzulegen gehabt hatte. Jetzt, da ich Kittys Brief aus Verona wegstecken wollte, fiel es mir auf. Es hatte Zacken am Rand und war etwas vergilbt. Darauf zu sehen waren zwei Kinder, ein Knabe und ein Mädchen. Sie saßen in kurzen Hosen auf einem Randstein und lachten in die Kamera. Im Hintergrund war ein Tor mit der Hausnummer 11.
Das wäre soweit nicht außergewöhnlich gewesen. Aber, Professor! wie vermittle ich Ihnen die Wirkung, die dieses Foto auf mich ausübte, sobald ich nach einer Sekunde, in der mein Erinnerungsvermögen gewissermaßen die Ohren spitzte, sowohl die Umgebung als auch die Personen auf dem Foto wiedererkannte?! Nummer 11 in der K ... gasse zu W ... war das Haus, in dem ich als Kind gewohnt hatte. Der Knabe war ich und das Mädchen, das neben mir saß, war meine Spielgefährtin Kathi. – Anderseits war sie – jetzt endlich begriff ich das! – Kitty! Ja, auch sie erkannte ich in diesem neben mir sitzenden kleinen Mädchen mit den aufgeschundenen Knien wieder. Es war, wie Kowalsky gesagt hatte: sie hatte sich verändert. Aber die Augen waren dieselben geblieben! – Wieder anderseits – nein, das war gar nicht möglich! Das Kind auf dem Photo war etwa so alt wie ich. Also inzwischen Mitte der Vierzig, vielleicht ein Jahr jünger. Und Kitty war, schätze ich, ganz am Anfang der Zwanzig! Da saß ich also und starrte das Photo an. Es war mir ein Rät-

sel, es war ein Paradoxon! – »Verstehst du das?« fragte ich (eher rhetorisch) den Kater. »Ja«, sagte er, »aber wenn ich mir eine literaturkritische Bemerkung erlauben darf: Hoffmann ist dort am besten, wo er an den Haaren herbeigezogene, rationale Erklärungen vermeidet.«
Professor! das war das einzige Mal, daß er sprach! Mir ging das übrigens erst auf der Straße auf, als ich, das Photo am Herzen, zum nächsten Taxistandplatz eilte. Hatte der Kater gesprochen? Ich hatte ihn gehört! Er hatte eine charmante Baritonstimme.
Kowalsky traf ich vor oder genaugenommen hinter seinem Haus; er betrachtete die Schutthalde. »Da, siehst du«, sagte er, meine Rückkehr schien ihn kaum zu überraschen, »die Bagger sind im Vormarsch!« Auf einer schon halb abgerissenen Mauer mit (blau?) geblümten Tapeten stand die Parole NIEDER MIT DEN SPEKULANTEN. Doch auch der Rest dieser Mauer, das war völlig klar, würde fallen.
Ich sagte: »Du hör einmal, Leszek, ich muß dich was fragen...«
»So?« sagte er. »Gehn wir zu mir und trinken wir weiter!«
»Nein«, sagte ich, »danke. Ich glaub, ich vertrag deinen Punsch nicht. Machen wir lieber einen Spätabendspaziergang!«
Er nickte. »Na gut. Und was hast du mich fragen wollen?«
»Zweierlei«, sagte ich. »Erstens... lach mich nicht aus...: Also sei ehrlich, kann dieser Kater sprechen?!«
Er zuckte die Achseln: »Früher hat er geschrieben.«
Darauf ließ sich schwerlich etwas erwidern. Ich schwieg.

»Und zweitens?« fragte Kowalsky nach einigen Schritten.
»Zweitens«, sagte ich, »habe ich etwas gefunden...« (Unter eine Bogenlampe tretend zog ich das geheimnisvolle Photo aus der Brusttasche).
»Also das da bin ich und das da ist Kitty.«
»Schön!« sagte Kowalsky. »Und wo ist das Problem?«
»Aber das gibt es nicht!« rief ich, »das geht sich nicht aus!«
Er lächelte mild. »Ach was. Das sind Vorurteile.«
Jetzt reichte es aber. »Hör auf mit diesem Gerede! Vorurteile! Es kann gar nicht Kitty sein!«
»Entschuldige«, sagte er »habe *ich* das behauptet? – Doch wenn es nicht Kitty ist, wer ist es dann?«
»Kathi«, sinnierte ich, »meine erste Freundin... Die Ähnlichkeit würde natürlich so manches erklären... Doch wie kommt Kitty zu dieser Photographie?«
»Das müßte man«, sagte Kowalsky, »sie selber fragen.«

PROFESSOR, WAHRSCHEINLICH provozierte mich dieser Satz. Und sicherlich wirkte Hoffmanns besondere Punschmischung immer noch nach. Jedenfalls wälzte ich mich den spärlichen Rest der Nacht in Kittys Bett. Und am Morgen rief ich die Zugauskunft an. Dann packte ich den sich sträubenden Kater in Kittys Korb. Und fuhr (schon wieder im Taxi) Richtung Kowalsky. Der Expreß nach Verona fuhr um halbelf. Ich hatte also vierzig Minuten Zeit. Entsprechend hastig lief ich die Treppe hinauf. (Übrigens sehr zum Mißbehagen des Katers). Klopfte an Leszeks Tür. Keine Reaktion. Klopfte nocheinmal, kräftiger. Schlief er noch? Ich probierte die Klinke. Die Tür war nicht versperrt. Ich trat in die Küche. Leszek, rief ich, Kowalsky? Keine Antwort. Ich schaute ins Kabinett. Sein Bett (ein metallenes Klappbett) schien unberührt. Dann trat ich ins Zimmer. Da stand die Tapetentür offen. Sie können sich möglicherweise denken, daß ich erschrak. Hatte er sich am Ende...? Ich schaute hinaus. Unten trieben die Caterpillars ihr Wesen. Inzwischen protestierte der Kater im Korb. – Jaja – (ich befreite ihn). Wo ist Leszek geblieben? Der Kater, sichtlich beleidigt, gab keine Antwort. Aber da sah ich den Zettel im Bücherregal.

»Lieber Franz (nicht Johannes), mein lieber Freund!
Entschuldige. Aber ich bin Dir zuvorgekommen.
Eine gewisse Sorge um Kitty, aber auch eine große Sehnsucht nach ihr haben mir nahegelegt, nach Verona zu fahren.
Wenn ich das Glück haben sollte, sie dort zu treffen, will

ich ihr Grüße von Dir bestellen.
Jedenfalls werde ich diese kalte, graue Insel bis auf weiteres verlassen. Sieh doch nur, welche Zumutung! – man gräbt uns den Boden unter den Füßen weg, und über unseren Häuptern hängt der Wermutstern! Ihr Heutigen müßt etwas tun dagegen, wenn ihr das Morgen noch erleben wollt. Aber wir Gestrigen... also auch ein Wiedergeborener ist nur ein Mensch und hat ein Recht auf Privatleben.
Falls also Kitty wieder Julia sein will, werde ich sie überreden, mit mir gemeinsam nicht zurückzukehren. Dann werden wir (ich der ewige Student Anselmus und sie, Seraphina, das ebenso ewige grüne Schlänglein) unser Atlantis suchen und hoffentlich finden. Ich schreibe im Hoffmann-Code, aber Du, der Du Spezialist bist, Du weißt, was ich meine. Im übrigen bin ich nach wie vor der Ansicht, daß es etwas zu bedeuten hat, wenn einer Kreisler heißt, und sei es auch nur Franz.
Deswegen möchte ich Dich um zweierlei bitten. Erstens (falls Du von Käthchen, ich meine Kitty, nicht binnen, sagen wir 14 Tagen, Konträres hörst), den Kater Murr zu treuen Händen zu übernehmen und bis auf Widerruf für sein leibliches und seelisches Wohl zu sorgen. Er ist Dir, das weiß ich, herzlich zugetan und könnte womöglich jetzt, da er schon einmal damit begonnen hat, weiter reden (stell Dir vor, ein Kater, noch dazu ein für die Germanistik so bedeutender, bricht endlich sein Schweigen...). Und zweitens alles, was ich Dir erzählt habe, getreulich aufzuschreiben (schließlich hast Du doch die Tonbänder). An einer entsprechenden Publikation wäre mir, wie Du weißt, außerordentlich gelegen.

Was die unveröffentlichten Tagebuchteile betrifft, auf die Du so engelsgeduldig gewartet hast, so muß ich Dich leider enttäuschen. Da ich, besonders nach unserem letzten Gespräch, den Eindruck gewonnen habe, daß sie noch wesentlicher Ergänzungen bedürfen, möchte ich sie lieber mit mir nehmen. Vielleicht lasse ich sie Dir eines Tages zukommen, aber darauf sollst Du nicht warten. Auch (und gerade) so fragmentarisch, wie er ist, halte ich unseren (Deinem und meinen) Beitrag für den bisher wertvollsten zur Hoffmannforschung.

Dein

E.T.A.

Professor, da stand ich nun. Mit Hoffmanns Vermächtnis. Einen Augenblick dachte ich daran, mich in gewisser Hinsicht darüber hinweg und in den nächsten Zug nach Verona zu setzen (den, in dem *er* jetzt saß, hatte ich schon so gut wie versäumt), aber das hatte wohl keinen Zweck. Es genügte wahrscheinlich, wenn einer verrückt war. Und außerdem: was sollte ich tun mit dem Kater? Der sprang übrigens, nachdem er die leere Wohnung inspiziert hatte, freiwillig wieder in den zuvor so heftig bekämpften Korb. Er war auf mich angewiesen: das sah er jetzt ein. Für alle Fälle spähte ich in die (offene) Lade, in der Kowalsky gewöhnlich das Tagebuch aufbewahrt hatte. Tatsächlich, die ochsenblutfarbene Ledermappe war weg. Dann kehrten wir (Murr und ich) zu Kitty zurück. Das heißt in Kittys von Kitty verlassene Wohnung. Stundenlang in der Pyramide liegend dachte ich über alles nach. Aber ich kam zu keinem bemerkenswerten Ergebnis. Am Ende beschloß ich, mich vertrauensvoll an Sie zu wenden. Und alles so aufzuschreiben, wie es mir geschehen ist und wie ich mich daran erinnere. Diese Arbeit, die mir übrigens gut getan hat (Sophie, mit der ich gestern telephoniert habe, findet, daß meine Stimme erleichtert klingt), ist jetzt fast fertig, ich erwarte ihre Expertise resp. Diagnose. Nachstehend noch ein Brief, den ich (etwa eine Woche nach Kowalskys Abreise) erhalten habe:

Lieber Kreisler!
Ich habe Kitty gefunden. Doch wegen des Photos habe ich sie nicht gefragt. Nein, fluch mir noch nicht, mein Freund, sondern lies besser weiter. Kein böser Wille, kein Zynismus gegen Dich ist der Grund dafür – aber ich merke schon, daß ich nicht umhin kann, Dir auch diese Geschichte etwas ausführlicher zu erzählen. Also ich bin hier angekommen und habe mich auf die Suche nach ihr gemacht. Ich habe gedacht, einmal angenommen, daß, was sie geschrieben hat, stimmt, ein Hotel oder eine Pension mit Terrassenblick auf die Arena müßte relativ leicht zu finden sein. Aber das war, wie sich alsbald erwiesen hat, falsch spekuliert. Zwar sind hier die meisten Hotels im engeren oder weiteren Umkreis der Arena angeordnet, aber infolge der Enge der Gassen hat man nur selten den beschriebenen Ausblick, und zugängliche Terrassen haben, so weit ich das in Erfahrung gebracht habe, überhaupt die wenigsten.
Außerdem war das Wetter hier zwar etwas milder als in

Berlin, aber nichtsdestoweniger kaum danach, auf einer Terrasse zu sitzen und Käse zu schmelzen. Das heißt, schon nach kurzem hatte ich das Gefühl, daß uns Kitty an der Nase herumgeführt und (zum mindesten mich) mit Erfolg in die falsche Weltgegend gelockt hätte. Meine Reaktion war nicht ungewöhnlich: ich betrank mich (mit Valpolicella) und schlief zwei Tage. Aber als ich am dritten Tag aufstand, war alles ganz anders.

Die Vögel zwitscherten und die Sonne schien. Ich trat hinaus auf die Piazza Bra, die Cafétiers hatten über Nacht (oder genauer über zwei Nächte) Sessel und Tische ins Freie gestellt, erst jetzt wurde mir so richtig bewußt, wo ich war. Habe ich Dir schon gesagt, daß ich noch nie hier in Italien gewesen bin? Ich meine, als E.T.A. Hoffmann, das weißt Du... aber auch in diesem Leben. Als mir das bewußt wurde, da stieg eine große Freude in mir auf. Ich trank (um den Alkoholspiegel nicht zu radikal sinken zu lassen) einen Kaffee Coretto. Während ich mich mit dem Kellner unterhielt, merkte ich, daß mein im früheren Leben vergebens erlerntes Italienisch plötzlich wieder da war. Bei der Hotelrecherche zwei Tage zuvor hatte ich gestammelt wie ein Teutone, doch jetzt parlierte ich, der Region entsprechend, feinste Lingua Veneziana.

Und dann, auf der Piazza dell'Herbe, sah ich sie. Zwischen den frisch aufgespannten, grünen Schirmen der Obst- und Gemüsestände schlenderte Kitty (*unsere* Kitty) mit ihrem Freund. Nein, er gefiel mir nicht, im Gegenteil. Zu lang und zu dünn, fand ich, zu blond und zu bärtig, fand ich, aber ihr – zumindest schloß ich das aus der Art, wie sie sich, seinen Hüftknochen umfassend, an, nein unter seine Brust schmiegte – ihr gefiel er. Und da kam es mir zu Bewußtsein – ich mußte sie einfach loslassen. Kaum anzunehmen, daß dieser Schweizer die große Liebe ihres Lebens war, aber wahrscheinlich brauchte sie noch mehrere Schweizer. Oder Schweden oder Franzosen, was weiß denn ich. Einen brauchte sie jedenfalls sicher nicht: mich. Und nicht ihr ausweichend, nein, auf sie zugehend, *ließ* ich sie los. Sie erschrak, als sie mich sah, aber indem ich auf sie zuging, sagte ich ihr das alles, was ich Dir eben geschrieben habe, senza parola. Und sie verstand und lächelte, nein, sie strahlte. Übrigens habe ich ihr auch wortlos schöne Grüße von Dir ausgerichtet und stellvertretend für Dich, der Du ja in gewisser Hinsicht an ihr partizipiert hast, auf alle weiteren Ansprüche verzichtet.

Schau, Kreisler, vielleicht muß ich, müssen wir, noch einmal wiedergeboren werden, um sie (als Julia) wirklich lieben zu dürfen. Jetzt ist es ja immerhin schon ein Fortschritt, wenn sie nicht einem Herrn Graepel in die Hände fällt. Was mich betrifft, so habe ich mir, von Möwen umflattert unter dem Ponte Pietra sitzend, überlegt, was ich in diesem Leben noch mit mir anfange. Ich habe beschlossen, die Gelegenheit am Schopf zu packen und, wenn ich schon endlich hier bin, möglichst lang da zu bleiben: vielleicht erfüllt man sich seine Träume am besten abteilig.

Das heißt: ich werde weiter nach Süden fahren. Florenz, Siena, Rom, Neapel, danach habe ich mich schließlich lang genug gesehnt. Zwar wird mein Geld nur kurz reichen, aber ich habe auch an Abi geschrieben, der von jeher viel Verständnis für mich hat. Solltest Du übrigens unsere Biographie wirklich anbringen, so wäre es fair von Dir, ihm (er wird wissen, wo ich bin) mit der, soviel ich weiß, halbjährlich üblichen Tantiemenabrechnung, jeweils 50% für mich zu überweisen.

Es umarmt Dich
Dein
Hoffmann

Lieber Professor!
Sie werden sich vielleicht wundern, daß ich Ihnen nach so langer Pause wieder schreibe, aber es ist mir ein Bedürfnis. Ich bin, wie Sie vermutlich schon am Poststempel bemerkt haben, wieder nach W... zurückgekehrt und habe meine hiesigen Verhältnisse, soweit das vonnöten war, revidiert. Den Job an der Universität habe ich endgültig aufgegeben, von meiner Frau Sophie habe ich mich schon wegen ihrer Allergie gegen Katzenhaare (den Kater Murr hat Kitty nicht mehr beansprucht) zumindest räumlich trennen müssen. Wir verstehn uns allerdings aus dieser relativen Entfernung besser als vorher, freuen uns, wenn wir einander (was übrigens immer öfter geschieht) freiwillig treffen, und erleben, obwohl es Herbst wird, in gewisser Hinsicht einen neuen Frühling. Was die materiellen Existenzprobleme betrifft, so ist es mir (hören und staunen Sie!) tatsächlich gelungen, einen Verleger für die Hoffmannbiographie zu finden. Der Vorschuß, den ich übrigens zur Hälfte an Abi überwiesen habe, wird zwar nicht mehr lange reichen, aber ich führe jetzt ein bescheidenes Leben und habe, nun einmal als Biograph in Schwung gekommen, schon einen neuen Dichter im Au-

ge. Ob mir auch dessen Reinkarnation über den Weg laufen wird, ist allerdings die Frage. Doch vielleicht habe ich das, da es mir, mit Kowalskys Hilfe, bis zu einem gewissen Grad gelunden ist, meine Phantasie zumindest von ihren germanistischen Fesseln zu befreien, in Hinkunft gar nicht mehr nötig.

Apropos Kowalsky, apropos Befreiung der Phantasie – hiermit komme ich auf den unmittelbaren Anlaß dieses meines Briefs. Er (Leszek) hat mir nämlich wieder geschrieben! Vorige Woche hab ich ein dickes, gelbes Kuvert erhalten, das mich zwar auf Umwegen (es war an die Universität adressiert), aber schließlich doch erreicht hat. Es ist kein Absender darauf gestanden, aber ich habe merkwürdigerweise gleich gewußt, daß es von ihm war. Er habe sich, hat er geschrieben, in einem kleinen Ort in Apulien eine Art von Turm gemietet (weiß der Kuckuck von welchem Geld!). Und dort sei er dabei, ein ›Manifest zur Befreiung der Phantasie‹ zu verfassen, denn genau das sei es, was die Welt in dieser Situation brauche. Da ihm aber bewußt sei, daß dies trotz seiner Passion für möglichst uneingeschränkte Subjektivität nicht von einem einzelnen (und sei es der reinkarnierte Hoffmann!) geschaffen werden könne, bitte er mich und alle anderen, denen er ähnliche Briefe schicke (wer diese anderen sind, hat er nicht erläutert) um ihre Mithilfe. Auf den folgenden (leeren) Seiten solle ich (und solle jeder) allfällige Ideen zur Befreiung der Phantasie notieren; man müsse sie ihm übrigens, obwohl ihn das freuen würde, nicht unbedingt zurückschicken: er sei sicher, daß schon die persönliche Beschäftigung mit diesen Fragen, also Aktivierung der jeweils persönlichen Phantasie, von großem

Nutzen sei und daß, sofern es nicht beim bloßes Notieren bliebe, die jeweils einzelne Kraft, die von dieser Aktivierung ausgehe, zu den anderen finden und dazu beitragen könne, alles zum besseren zu verändern.
Soweit Kowalsky (er war, wie Sie wissen, außer in seinen Hoffmannerzählungen nie sehr realistisch). Aber, Professor, mit bloßem Realismus würde, darf ich noch einmal, wenn nun auch wirklich von jenseits der Grenzen, als Germanist sprechen, zum Beispiel die Literatur auf der Stelle treten. Also habe ich für meinen Teil die leeren Blätter aus dem Briefumschlag gezogen und begonnen, mir nach Leszeks Anregung Ideen zu notieren. Zwar hat mein Exkollege Kierlinger, der mich kurz darauf besucht hat, vorerst verärgert gemeint, daß sowas einfach naiv sei, aber schließlich hat er sich auch ein paar leere Blätter nach Hause mitgenommen. Kurze Zeit später ist Karl (Sie wissen schon, der in den Umweltschutz emigrierte Chemiker) hereingeschneit und hat sage und schreibe zehn Seiten mit – allerdings schwer leserlichen – Ideen vollgekritzelt. Meine Frau hat was Feministisches beigetragen, meiner Mutter ist ein neues Kochrezept eingefallen, und meine Tochter, die auf dem Weg zu einer Friedensdemonstration vorbeigekommen ist, hat nicht lange darüber nachdenken müssen, was sie schreibt. Da noch ein paar Blätter frei sind, schicke ich Ihnen, Professor, übrigens unter Hinzufügung einiger neuer, auch ein Kuvert. Mit herzlicher Hochachtung bleibe ich

Ihr
Franz Kreisler